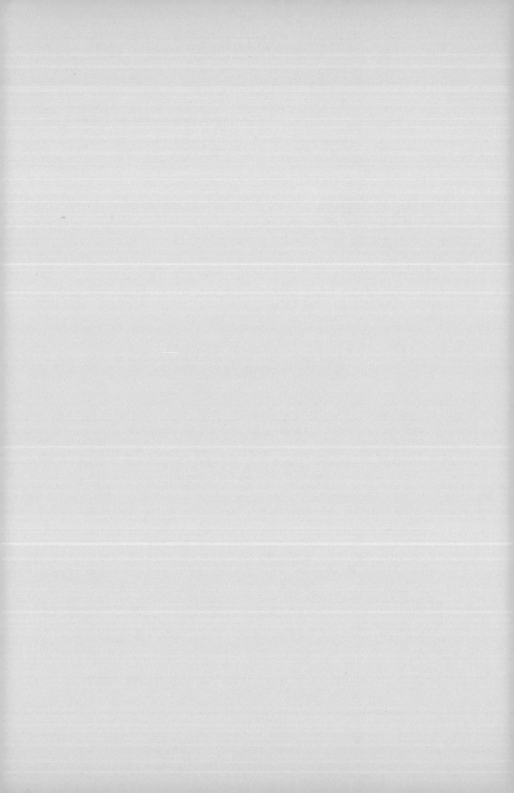

ハワイと沖縄の架け橋

～織りなす人々の熱い思い～

高山朝光

序　文

　ハワイを旅する人は、その自然の豊かさ、美しさ、人々の心の暖かさに魅せられる。私もその一人である。私が初めてハワイを訪問したのは半世紀余も前の 1962 年 7 月で、東西センター奨学生としてハワイ大学へ留学した時であった。

　ホノルル空港に迎えに来た東西センターの若い女性から歓迎のレイを受けキスされ、異文化の習慣に戸惑いながら、深い感動を覚えた。空港から市街地に向かう車窓から眺めた街並みは花と緑で美しく彩られ、太平洋の楽園に心が躍った。

　留学受け入れ先の東西センターは、1960 年に米国政府により設立された教育研究機関でハワイ大学キャンパスの一角にあった。そこには、米本国、アジア太平洋諸国・地域からの学者・研究者、研修生、学生が集い、国際色豊かで活気に満ちていた。各国からの優秀な留学生 500 人と寮で寝食を共にし、異文化交流で友情を育み、国際理解の輪を広げつつ、ハワイ大学大学院で学んだ。

　留学中にハワイ沖縄県系移民の方々から度々自宅へ招待され世話になった。当時、ハワイの生活レベルは、戦後復興途上にあった沖縄の 10 倍であった。私はハワイ沖縄県系移民が、経済大国の米国社会で高い生活水準を維持し、生活を謳歌している姿に感動した。かつての厳しい砂糖きび耕地労働時代から今日の生活基盤を築くまでの背景に興味を覚え、休日には学業の余暇を利用して各分野の 1 世リーダーを訪ね体験談をうかがった。その内容は、沖縄の新聞に掲載し広く伝えた。

　ハワイでの留学生活終了前の 1964 年 3 月下旬から 40 日間、米国大陸をグレイハウンドバスで周遊した。主要都市でホームステイし、米国の生活習慣を学ぶと共に琉球大学職員現職としての留学だったので大学行政に関心を寄せ主要 12 大学を視察した。1960 年代の米国は、豊かな経済大国の半面、貧富差の拡大、人種差別による白人黒人の対立が激しく、厳しい時代を迎えていた。ロサンゼルス、ワシントンでは沖縄移民 1 世

の方々を訪ね移民体験をうかがった。

私の米国留学には強い動機があった。10歳の時、地獄のような沖縄戦を体験し、1956年には米軍による沖縄の土地接収「島ぐるみ闘争」を経験した。私自身、20代の若者として戦争で廃墟と化した戦後沖縄の復興に貢献したいとの夢があった。それには、経済大国の米国へ留学し見聞を広めることであった。

また、ハワイ沖縄移民が過酷な労働時代から経済大国での生活基盤を築いた実態を学び、それを沖縄に伝え戦後の沖縄の復興に資したいとの思いに駆られた。加えて、東西センターに集った各国留学生との交流により広い国際感覚を培い、さらに沖縄を将来的にアジアの交流拠点にしたいとの希望に満ちていた。

ハワイで培われた沖縄県系人との太い絆、東西センター国際同窓会員との人的ネットワークは、私の財産である。私の人生はハワイで学び、拓かれてきた。さらに、8年余の沖縄ハワイ協会長としての役割は、私を一層ハワイに近づけてくれた。

一方、14年余の東西センター沖縄同窓会長として沖縄の次世代育成の小渕奨学制度の創設にかかわり、公的留学制度の再スタート実現に努めることができた。

ハワイと沖縄は類似点が多く、戦後沖縄は多くの分野でハワイに学んできた。2014年ハワイ州に沖縄県系3世のディビッド・イゲ知事が誕生した。今、ハワイでは沖縄県系3世、4世が各分野で活躍する時代を迎えている。その人脈との連携によりハワイと沖縄の相互協力による双方の社会発展を促進する新たな取り組みに期待している。

2020年は沖縄ハワイ移民120周年、東西センター創立60周年の記念すべき年である。ここに私の半世紀余にわたるハワイへの熱い思いをまとめ出版した。ご一読いただければ幸いである。

なお、東西センター沖縄同窓会理事の照屋文雄氏に本書の英訳（別冊出版予定）の協力をいただき感謝している。

目　　次

第1編　ハワイ沖縄移民の足跡と飛躍
第1章　ハワイ沖縄移民65周年を祝う〔1965年論考集〕

第2章　ハワイ沖縄移民100周年を祝う〔2000年論考集〕

第3章　沖縄県系人リーダーとの絆

第2編　東西センターの異文化交流・人材育成

沖縄県系3世ディビッド・イゲ知事就任式
2014年12月1日

イゲ知事就任ハワイと沖縄同時祝賀会開催
沖縄ハワイ協会会員および西原町各界代表参加
前列中央、著者・沖縄ハワイ協会長、右隣り上間明西原町長
ホテルサンパレス球陽館、2014年12月6日

沖縄ハワイ協会役員イゲ知事表敬訪問、
中央、イゲ知事、右隣り著者・沖縄ハワイ協会長
ハワイ州知事応接室、2018年8月31日

ハワイ沖縄連合会役員来沖、翁長雄志知事表敬訪問、
中央、翁長雄志知事、知事から左1人目、マーク・比嘉会長、
2人目、ジェーン・勢理客専務、右1人目、トム・山本次期会長、
2人目、著者・沖縄ハワイ協会長
沖縄県知事応接室、2015年3月19日

ハワイ沖縄プラザ募金1億円目録贈呈、
ハワイ沖縄プラザ建設募金推進本部からハワイ沖縄連合会へ
ハワイ沖縄センター、2018年9月3日

ハワイ沖縄連合会2019レガシーアワード受賞式
沖縄側受賞者、前列左から真喜屋明氏、著者、宜野座朝美氏
ヒルトン ハワイアンビレッジ、2019年11月2日

ハワイ沖縄フェスティバル開会式、祝辞を述べるニール・アバクロンビー知事
左端 著者・沖縄ハワイ協会長
カピオラニ公園、2011年9月2日

ハワイ沖縄フェスティバル沖縄からの出演者・参加者
前列中央アバクロンビー知事、右隣り著者・沖縄ハワイ協会長
カピオラニ公園、2011年9月2日

ハワイ沖縄県系人による550頭豚輸送記念碑除幕式
左から5人目、安慶田光男沖縄県副知事、右から2人目島袋俊夫うるま市長
左から4人目、著者・沖縄ハワイ協会長
うるま市民芸術劇場前、2016年3月5日

ハワイ捕虜沖縄出身戦没者慰霊祭
前列左から渡口彦信共同代表、著者・共同代表
ホノルル市、慈光園本願寺、2017年6月4日

東西センターで研究中の外国代表をハワイ大学長就任式へ招待
左から仲宗根政善琉球大学教授、比嘉春潮先生、著者・ハワイ大学院留学中
1963年3月28日

2014東西センター国際会議　アロハパーティー沖縄同窓会員、関係者
この国際会議に世界から400人余の会員が参加、前列左から4人目、
山里恵子沖縄同窓会長、2列目右から3人目、著者・沖縄同窓会顧問
パシフィックホテル沖縄、2014年9月19日

ワイキキ慕情

作詞　高山朝光　　作曲・歌　仲久美子

1　ワイキキの浜辺に　佇めば　　　水面に揺れる　月の光に
　　貴女の面影　偲びつつ　　　　　遠きあの日を　思いだす
　　会いたい貴女　今いずこに　　　会いたい貴女　I always remember you

2　煌めく星座に　懸けた恋　　　　　語り明かした　夜のときめき
　　貴女の笑顔が　愛おしく　　　　　想いは募る　わが胸に
　　会いたい貴女　今いずこに　　　会いたい貴女　I always remember you

3　椰子の葉陰で　誓った愛　　　　　永遠の約束　固く信じて
　　一途な心で　抱きしめた　　　　　想いは深く　今もなお
　　会いたい貴女　今いずこに　　　会いたい貴女　I always remember you

（2015年CD制作）

愛しのハワイ

作詞　高山朝光　　作曲・歌　仲久美子

1　碧く広がる　海と空　　椰子の並木に　そよぐ風
　　花が織りなす　家並みに　　清らに映る　虹の花
　　心の故郷　愛しのハワイ

2　歴史を語る　王宮の跡　　いにしえ偲び　たたずめば
　　カメハメハ王像　微笑んで　　うるわしの王国　よみがえる
　　心の故郷　愛しのハワイ

3　ワイキキ染める　サンセット　　静かに暮れる　街並みに
　　ウクレレ弾み　フラ和む　　やさしく響く　アロハオエ
　　心の故郷　愛しのハワイ

（2015年CD制作）

第1編

ハワイ沖縄移民の足跡と飛躍

第1章　ハワイ沖縄移民65周年を祝う(1965年の論考集)

1. 楽園に築く待望の沖縄移民会館

　沖縄へ初めて旅する人が「沖縄病」にとりつかれるようにハワイへ旅する人は「ハワイ病」にかかる。私もハワイ病に悩む一人で、再びハワイへ行く夢をまざまざとみるきょうこのごろである。このことは、あの楽園、ハワイの自然のよさが私の心をとりこにし郷愁の念をかりたてているばかりでなく、そこに住む人々の情のこまやかさが私にいっそうハワイを思い出させているのかも知れない。その中でも、とりわけハワイ在住沖縄県人から受けた真心のこもった親切は私の心に強く印象づけられ、美しいハワイの島々のイメージとともに常に私の脳裏にある。

　たぶんいまごろ、ハワイ在住沖縄県人は移民65周年を迎えたよろこびでわきたっていることであろう。沖縄県人の中でも、とくに移民の第一線で苦労し今日の基盤を築いてこられた1世の感激はひとしおであり、この人達の移民生活の歴史を刻んだシワ寄った顔に満面の喜びをたたえた姿が見えるような気がする。

　ハワイ移民65周年を記念してこのほどホノルル市の中心街、パリハイウェイ（高速道路）のすぐ側に40万ドルを投じた沖縄移民会館が完成した。ハワイ移民65周年記念式典もここで行なわれるはずである。

　この移民会館は慈光園というお寺の一部で、そのお寺の建立と共にお寺の別館として完成したものである。

　慈光園は沖縄久米島出身の山里慈海開教師によって営まれているもので、最近までホノルル市街、マッキンレー高校の近くにあった。

　これが都市計画による道路拡張のため、敷地が狭くなり移転せざるを得なくなった。

　この寺の移転新築に際し、その中に沖縄移民会館を建設してはとの話がもちあがったのである。

　慈光園は過去において沖縄移民にとってお寺としての役目だけでなく、心の

寄り処、憩いの場として大きな役割を果たしてきた。それは開教師が同県出身の山里氏であることや。信者の 96 パーセントまでが沖縄県人であることによる。ハワイの各市町村クラブの各種会合もこのホールを利用してなされた。

　一方、終戦直後の沖縄救済運動に人々が立ちあがっているころは、ここが救済物資の集積、整理、荷づくりの場所として使われた。

　このように寺以外の役目を通じ人々に利用されていたので、他に移民会館を建てるより慈光園新築に便乗して移民会館をつくろうとの話が次第に具体化した．移民会館建設の趣旨は移民功労者の意をたたえ、現在にあってはこの会館を通じ沖縄県人の結びつきを図り、さらに各種沖縄資料を集め、ハワイにおける沖縄紹介に役立てようとのことであった。

　この構想がまとめられ、慈光園建設委員会が仲嶺真助、比嘉武光、宮里昌平氏らを中心に結成され、40 万ドル募金が一昨年の 1963 年からハワイにおいて展開されたのである。この 40 万ドルの中、半額 20 万ドルは本願寺から援助されたが、20 万ドルが募金にたよらなければならなかった。ところが募金に際して一つだけ困難な点があった。それは沖縄出身者の中にキリスト教や他の宗派の信者が多いこと。またもし山里開教師が引退した際、この移民会館も本願寺のものになってしまいはしないかとの不安があった。だがこのような不安は次第に解消され、慈光園建設は着実にすすめられた。その結果、ついにわずか 3 年間で 40 万ドルの慈光園建設を実現し完成をみたのである。このことはハワイ沖縄県人の結束力の強さを意味し、経済基盤の大きさを物語る一例といえよう。

　沖縄は戦前戦後を通じハワイをはじめ中南米、東南アジア、南洋群島などと多くの移民を送り出した。その中で最も成功しているのがハワイ移民であろう。彼らは自ら一等国民と称する米国人として、その生活レベルを維持する経済基盤をつくりあげている。

　それだけでなく米国人として経済界、政界、教育界とあらゆる分野において西洋人と比較し遜色なく活躍している。

（沖縄タイムス　1965 年 5 月 23 日）

2. 今も残る哀歌、想像を絶する苦難

　ハワイは東京からジェット機で7時間半、サンフランシスコから5時間の距離にある太平洋上に点在する八つの島からなっている。

　カウアイ、ニイハウ、オアフ、モロカイ、ラナイ、マウイ、カホオラウェ、ハワイと呼ばれる島々で、八島の総面積は四国よりやや小さいといわれている。これらは火山質の島々で火口を有する山々が多い。自然の特色としては湿度が低い上、貿易風が絶えず吹いているので南国にしては暑さを苦にしない常夏の島である。

　どの島も島の中央部に1,000メートル以上の山があって、日中山に雲がかかり雨をもたらす。この雨は水となって川から海へ流出するのでなく、大半は地面に吸収され地下水となる。地下は鍋の底状になっていて地下水が貯蔵されるようになっている。この地下水を利用して飲料水やかんがい用水にとふんだんに利用されている。

　島々はいたるところ、さまざまの花が咲き、旅人の目を楽しませる。

　このように恵まれた自然環境の中で、高い生活レベルを維待しつつ生活を楽しんでいるのがハワイに住む人々であり、その中にわれわれの同胞沖縄県人も含まれている。だが、この人々の今日の生活の背後には、われわれの想像を絶する苦難の道があった。

　沖縄からハワイへの最初の移民は65年前の1900年で、日本の一県の移民として送り出された。人数は男ばかりのわずか26人だった。その後、時代の推移と共に故当山久三氏らの努力によって数千人の送り出しに成功した。

　移民といえば一般には未開地へ移住し、そこを開拓し土地を得て生計をたてるのが常であるが、その点ハワイ移民の場合は違っていた。今から65年前のハワイの島々はすでに開墾され、大資本家による土地管理がなされ、農地ではパイナップルや砂糖きびの生産がなされていた。であるからハワイ移民は開墾して移住するのでなく、大資本家により管理されている大耕地へ行き労働者として働くことであった。

　当時のハワイ移民者には「ハワイへ行けばもうけられる」「一時出稼ぎに行こう」との軽い気持ちが強かったようである。ところが耕地における労働はそんな生やさしいものではなく、想像もおよばなかった悪条件ときびしい労働管理の下で牛馬のごとく働かされた。

　耕地に出て仕事中は少しの気のゆるみも許されず、頭の上では絶えずポルトガル人監督のムチが唸っていた。風邪をひいても医師の診断書がなければ休むこともできず、無断で宿舎に寝ているものなら、理由もきかず、さんざん叩かれたとのこと。風邪をひいてもなかなか休めないので昼中は砂糖きび畑の中に身を隠すこともあった。人によっては、これが健康を損う原因となり故郷へ送り返される例もあった。農地でのあまりに過酷な労働に耐えかね、手にできた豆をさすりながら、はるか太平洋のかなた沖縄の父母兄弟をしたい泣きあかしたこともたびたびあった。

　この過酷に耐えかねて、耕地を逃げ出したのも何人かいた。きびしい耕地生活はハワイ移民の哀歌として今もなお残っている。

　だが、今ではこの1世たちのあまりに過酷な生活も3世、4世たちには単なる昔の思い出話としてしか通用していない。

　このような労働条件は耕地に働くものの耐えがたいものとなり、ついにストライキという非常手段によって爆発した。第1回のストライキは1909年で、第2回は1920年、日本人労働連盟によるもので、いずれもオアフ島の耕地で約4カ月にわたる長いストライキであった。ストライキでの要求は「東洋人に対する人種差別の撤廃」「低賃金にあえぐ待遇の改善」であった。このストライキはついに白人対東洋人の対立のような様相にまで発展したが、日本人労働者の団結は堅く、要求を貫徹するのに成功した。これがハワイにおける労働運動の口火となった。それ以来待遇は次第に改善された。

（沖縄タイムス　1965年5月25日）

3．耕地を出て、養豚・養鶏業で基盤築く

　砂糖きび耕地で何年か働いている中に多くの人は自分の将来について考えるようになった。

　砂糖きび耕地で働いていては自分はいつまでも労働者であり、低賃金にあえがなければならない。せっかく金もうけに来たのに、これではいつ錦をかざって故郷へ帰れるのか、そのあてもない。

　そのうち、他に職を求め、一人逃げ、二人逃げ、耕地を抜け出すものが出てきた。その数は次第に増していった。ある者は、はるかかなたの幸を求め海を渡り米大陸へ移って行った。あるものはハワイで一番大きな街ホノルル市のあるオアフ島へ渡って来た。

　そのころには家族移民も許されていて、家族を連れて移ってきた人々も少なくなかった。

　この人々はホノルル市の近くに移っては来たものの適当な仕事がなく、明日への生活に不安をかこつありさまだった。

　その時に人々の頭に浮んできたのが養豚と養鶏業であった。養豚業については沖縄の人々は自信があった。販路においても十分見込みのある事業だと思った。白人は肉食を取るのでその消費量は大きい。その当時、豚肉などは大半を大陸から輸入していた。

　耕地で貯えたわずかばかりの金を豚購入に使い、豚の利益が上るにつれ、豚の数を増していった。この事業は確かに成功だった。

　それを知った沖縄県出身はオアフ島に移り、豚を飼う人々が多くなってきた。

　一方では卵の生産を目標に養鶏業をはじめた。これもあたった。養鶏、養豚業者は沖縄の人々の間でぐっとふえた。それがいつの間にか沖縄県人の専業のようになり戦争直前まではハワイにおける養鶏、養豚業の7割近くが沖縄県人によってなされていた。

　養豚の場合、飼料にこと欠いた。そのための芋畑があるわけでもなかった。そこで豚の飼料を得るため、人々は早朝ホノルル市の街を一軒々々

残飯をかき集めてまわった。

　犬にほえられながら早朝からブリキかんをカラカラさせながら歩きまわったので人々の寝ざめを悪くしたのであろう。いつも早朝から軒先でカラカラしているのは犬でなく沖縄人だということから他府県人はじめ東洋人の間では沖縄県人のことを「豚ケンケン」とよぶようになった。最近までそれが使われていたが、今では当時をしのぶ語り言葉となっている。

　ハワイで沖縄県人が他府県人から現在おそれられているのは同胞愛による結束力と助け合いである。これは悲哀民族のとる常套手段であろうがハワイにおいてはこれが今日の沖縄県人の基礎を築く大きなカギとなった。

　一人が事業をしようとするなら周囲の者全部が一致団結し資金を作り、ひいてはその事業の客となる。

　養鶏、養豚で金がはいった人はそれを自分だけのものとしないで他に事業をしようとする人に貸した。また人々の間では事業を計画する人のために模合を起こし資金繰りをみんなが一緒に考えた。模合は抵当がなく銀行資金の借り入れに悩む沖縄県人に資金調達の大きな役割りをもたらした。これがハワイ大学大学院学生の研究論文にとりあげられるほど

観光客で賑わうワイキキビーチ、1962年

人々の経済基盤を築く大きな力となったのである。

　模合や養鶏、養豚業の人々からの援助である人はレストランを経営するようになった。

　このレストラン業も養鶏、養豚業のように当たった。レストラン業においてもハワイの 7 割近くが沖縄県人によって経営されていた。特にこのレストラン業の場合は後で述べるように戦争直前から戦時中にかけては大繁盛した。

　沖縄県人の計画する事業はどれも成功した。

　それは人々の結束力であり、模合による金策が大きかった。その意味で沖縄県人は他府県人からいい意味でユダヤ人ともいわれる。

　ハワイ沖縄県人の間には、各市町村に市町村会があって、親睦を図り、組織を通じての助け合いがなされてきている。だが 2 世にいたってはこれに関心が薄く、1 世たちの後それを受けつぐかどうか疑問視されている。

（沖縄タイムス　1965 年 5 月 26 日）

右から著者・ハワイ大学留学中、安里貞雄夫妻、仲地末子さんと娘・真樹ちゃん
アラモアナショッピングセンター、1963 年

４．社会的躍進、日本人会長の出現

　第二次大戦は沖縄に大きな悲劇をもたらした。その悲劇はいまなお続いている。だが、この大戦が不思議にもハワイ沖縄県人に今日のゆるぎない経済基盤を築かせる大きな要因となった。

　その要因はハワイ沖縄県人有志の語るところによれば、①養鶏、養豚業の繁栄、②レストラン業の繁栄、③教育、④２世たちの兵役生命保険金などであった。

　養鶏、養豚業についてはハワイにおける養鶏、養豚業の７割までが沖縄県人によるものであった。戦争が始まってから物価は高騰し、養鶏、養豚業者の手もとへどんどん現金がはいってくるようになった。これが戦後まで続いた大きなブームだった。

　レストランの場合もハワイにおける７割近くが沖縄県人の経営だった。真珠湾が攻撃を受けて以来、もしや日本軍の上陸がということで50 万近い兵を駐留させてあったという。戦時中のことゆえ明日の命を知らない兵隊たちは金をばらまく如くよく使い、レストラン側では笑いがとまらないほど、収入をあげることができた。

　一般家庭にあっては老若男女が真珠湾軍港で働き多額の収入を得ることができた。戦時のため太平洋艦隊の総司令部のある真珠湾では毎日多くの労務者を必要とした。そのため働き盛りに近い子供をかかえた家庭では収入が日増に多くなった。

　一方、戦線に参加した２世たちには多額の保険金がかけられていたので、戦死した遺族へはこの保険金が送られた。元気で帰還した若者には大学や専門学校で学ぶ機会が与えられた。

　これらはすべて戦争がもたらした経済的繁栄であるが戦争という悲惨なものが結局はハワイ沖縄県人の今日の基盤を築く大きな要因となったのはみのがせない。もちろんこれらの条件は他府県人、他国系人にもあてはまるが沖縄県人の場合は特筆にあたいする。ハワイ沖縄県人が今日あるのはその人々の努力もさることながら条件にも恵まれていた。

　ハワイには日本各県から移民して来た人びとが日本文化を守りながら、アメリカ人として日本とアメリカのかけ橋的な存在になっている。ハワイ日系人の人口は全ハワイ人口65万人の約3割で20万人といわれる。その中で県別にみて最も多いのは広島県で、次に山口、沖縄の順となっている。沖縄は他府県の移民より15年も出足は遅かったが、その勢力は大きい。人々の各界での活躍も人口の多い県が最も優勢である。最近とくにいちじるしく頭角をあらわしてきたのが沖縄勢である。

　沖縄県人が頭角をあらわすようになったのは戦後になってからで、それまでは他府県人の沖縄人蔑視がひどかったようだ。いまなお、それが完全に消えているとはいえない。この沖縄人蔑視は初回移民のころにさかのぼる。

　移民草分け時代における沖縄県人の中には日本語もろくに話せず、他府県人と一棟に住んでいてもあいさつも十分かわすことができなかった。婦人の場合は口をきかれるのをおそれ、道で他府県人と顔を合わすのをさけるのもいた。

　男性は一人閉じこもり三味線をひいて移民のさびしさにたえていた。一方他府県人の中には、沖縄がどこにあるかすらわからない人々が多かった。これらのことが積もり積もって他府県人と沖縄県人との溝を深くし、蔑視行為となって、あらゆる分野でわざわいをもたらした。1世たちだけでなく、2世社会へも影響を及ぼし、婚姻にまでひびいてきた。

　しかし、この他府県人の沖縄県人蔑視は沖縄県人の経済基盤の発展、各分野での活躍によってしだいに消えていった。ついに昨年全日系人を代表する日系人会長に沖縄出身の仲嶺真助氏が選出されたのである。沖縄人が日系人会長かとの非難の声も古い人々の間でなかったわけではなかった。

　任期終了後仲嶺氏は過去の沖縄人蔑視とも関連して「就任の目的はいろいろあったが、沖縄県人でもこれだけやれるのだ」ということを頭の古い人々に十分知っていただきたかった、としみじみ過去の経験を語っていた。

（沖縄タイムス　1965年5月27日）

5．沖縄の戦禍に心痛め救援に全力

　今次大戦で焼野原となった故郷沖縄を最もなげき悲しんだのは各国に
移民していた沖縄県人であったろう。ハワイ沖縄県人もその一人であっ
た。この人たちは戦争が激しくなるにつれ、故郷に住む親兄弟、友人、
知人の身上を昼夜案じていた。今次大戦が日米戦であっただけに日系人
の立場は苦しかった。

　それは単に精神的苦労だけでなく、行動の自由すら失う身となった。
大半の日系人指導者は米大陸へ連行され収容された。ハワイに残ってい
た人々でも行動の自由を失っていた。このことはその人々の息子たちと
比較した場合あまりに矛盾をはらんでいた。

　当時この人々の息子たちは米国国家のために一命を賭してイタリア戦
線に参加していた。

　これは戦争がもたらした皮肉な社会の一面だった。

　収容の身をとかれハワイに戻った沖縄出身者たちは早速、敗戦にあえ
ぐ沖縄住民の上に思いをはせ、ハワイ沖縄県民の同意を得て、沖縄救済
事業に立ちあがった。

　当時、1945年4月、比嘉太郎氏（貸ボート業）が一人でも多くの同
胞を救いたいとの気持ちから自ら志願して沖縄戦線に参加していた。

　比嘉氏は敗戦にあえぐ沖縄住民の様子を詳細に記録して、安里貞雄氏
（保険業）に送った。この情報は豊平良金氏（ハワイタイムス編集長）
の手を通じ邦字新聞、ハワイタイムスに大々的に報道され、ハワイの
3万沖縄県人、他府県人、さらに各国系人と大きな反響をよび起こした。

　沖縄同胞のあまりに惨めな姿を知った沖縄県人は「同胞を救え」の合
い言葉のもとに沖縄救済事業に立ちあがった。さっそく沖縄県人が一丸
となって「沖縄救済事業会」が結成され、それによって衣類救済、食糧
救済（豚）事業がなされた。その後各種団体が設立され、ヤギや医薬品
などが送られた。

　救済物資を募り沖縄へ送り届けるのに容易ならない終戦直後に、550頭

の豚を一匹も損うことなく、沖縄へ届けた偉業と美談は今でもハワイで
よく語られている。沖縄の人々は明日への生きる道すら失いかけていた
のでハワイ同胞の当時示した故郷愛、同胞愛を知る人は少ないであろう。

　ハワイ県人は沖縄の同胞を救うため550頭の豚を送る計画をした。こ
の趣旨は沖縄県人は昔から養豚業を得意としており、これを繁殖させれ
ば将来、肉や食脂にことかかないということであった。沖縄救済はハワ
イ移民はじまって以来の大事業としてすすめられた。あらゆる報道機関
を通じ宣伝活動につとめた。

　ところがそこに、たまたま「勝った組」の邪魔が入った。この人たち
の意見は戦勝国日本になぜ敗戦国に住むわれわれが物資を送るのか、即
時やめろとの脅迫もあった。だが救済事業に立ち上がった人々は脅迫に
負けられなかった。次々沖縄から入る情報を分析し、マスコミ機関を通
じて、意識の高揚につとめた。

　人々の苦労は報いられ、沖縄県人、他府県人、他国人から集まった金
は5万ドルに達した。

　沖縄救済会では金城善助会長（医師）を中心に豚の購入、輸送、輸送
にあたる世話人などの検討がなされた。その結果、豚輸送には山城義雄
氏（獣医）、渡名喜元美氏（園芸家）、仲間牛吉氏（養豚業）、島袋真栄氏（商
業）、上江洲易男氏（経営者）、宮里昌平（旅行業者）、安慶名良信氏（レ
ストラン経営者）らがあたることになった。

　一行はサンフランシスコへ渡り、豚を購入し、軍へ輸送船の借用を願
い出たがまだ国交回復もされていない日本へ民間人の援助は筋がとおら
ないとのこと。そこでアメリカから沖縄への援助という名目でやっと船
を借りた。1948年8月31日一行はポートランドを後にした。

　途中大シケにあった。豚を入れてあった箱はめちゃめちゃに壊れ、豚は甲
板の上を右往左往した。これをみた7人はせっかく3万同胞の送った尊い送
りものもあだになるのかと、その夜はまんじりともしなかったという。

（沖縄タイムス　1965年5月28日）

6．豚輸送、大学構想など将来展望

　嵐が去ってみると幸い損失はなく、2匹が軽いけがをしただけだった。災難は去った。ホッとした顔で一息入れた。安心したのか太平洋の大波に揺られる船に酔った。一行は豚の面倒もみなければならないので船酔いの苦しさを歯をくいしばって耐え、船底から豚の飼料を運ぶ任にあたった。この苦しさに直面したとき一行の誰もが何の罪を背負ってこの苦しみを受けねばならないかと、泣いたこともあった。この苦しみだけではなかった。

　人々の命すら危険にさらされていたのである。1948年といえば太平洋上には日本軍の機雷が漂流していた。この機雷によって何時船が吹きとばされるかわからない危険な航海だった。だが人々の決心は自ら決まっていた。この大任を果たすために太平洋上で船もろとも命を失ったにしても我々の気持ちは沖縄に住む同胞に伝えられるであろうと。

　このような苦難にもめげず、船は一路沖縄へと近づきつつあった。ポートランドを出港して1カ月近い9月27日に沖縄本島がみえてきた。その時の一行の喜びは言語に絶するものがあった。一行は甲板に上りはるかに見える沖縄本島を眺めつつ、お互いに手をしっかりと握りしめ男泣きに泣いた。とめどなく涙が流れてくる。ハワイ同胞から送られた豚は1匹の損失もなく届けられるのだ。

　これでわが沖縄の親兄弟を救うことができる。敗戦に沈む沖縄の人々へ生きる勇気をとりもどさせることができる。ハワイ沖縄県人からのこの贈り物は単に物質的な面での援助でなく、精神面でも大きく貢献することができると一行の喜びはかく大変なものだった。

　ホワイトビーチで時の工務部長松岡政保氏や現琉球大学教授日越国吉氏らが船の入港を心待ちにしていた。

　豚を送り届けた一行は休むひまもなく、住民の収容されている集落へ行き、つぶさに人々の生活状況をみてまわった。そのもようをハワイへ帰りハワイの沖縄県人へ報告した。

　沖縄救済会の豚輸送に次いで計画されたのが沖縄更生会による「基本機関の設立」であった。湧川清栄氏（ハワイタイムス）、山里慈海氏（慈光園開教師）、比嘉静観氏（牧師）らは沖縄更生会を設立し、沖縄の基本機関設立に援助しようとの企画をたてた。

　基本機関の設立とは銀行、新聞社、大学の三機関であった。銀行は沖縄経済復興の推進母体として欠くことのできないものである。

　新聞社は公共性をもつ言論機関である。

　大学は沖縄の指導者養成の教育最高機関としての重要性は欠くことのできないものである。これらの機関を民間人の手によって設立しようとの趣旨であった。

　この計画は具体化され、沖縄県人の協力を得て10万ドルを目標に募金がすすめられた。

　3つの機関の中でも特に実現の方向に進められていたのが大学設立構想であった。沖縄において戦前になかった大学を設立することによって敗戦にうちのめされた若人の心に希望の火をともすのではないか。資金のメドもついたので湧川氏らは構想実現の許可をうけるため軍司令部を訪ねた。軍司令部で責任者と会い大学設立構想を報告した。その後で、軍から米軍側で大学を設立する構想をもっていると打ちあけられたという。その結果生まれたのが1950年に創設された琉球大学である。であるから琉球大学の設立構想はハワイの沖縄更生会湧川氏らの努力に負うところが大きかったといえよう。沖縄更生会は募金を大学設立には使えなかったが、それと同じような大きな事業に使うことができた。それは沖縄の学生を海外で教育することだった。将来の指導者養成である。最初の留学生として前副主席瀬長浩氏ら5人にハワイで勉強する機会が与えられた。この制度はしばらく続いた。この構想が功を奏して今日の米国留学制度が米国によってなされているといっても過言ではないだろう。人々の沖縄への献身的な努力はなお続けられている。

（沖縄タイムス　1965年5月29日）

7．1世2世の活躍、ふるさと愛

　戦後になって、沖縄県人、1世、2世の活躍にはめざましいものがある。1世達の活躍は自らの努力のたまもので、2世は自分の努力もさることながら1世が2世教育に全力を注いだのが大きな原因といえよう。ちなみに沖縄県人の各界の人物を紹介すると政界にはハワイ州議員として活躍する伊波氏、平良氏ら7人の若手議員がいる。この議員達は沖縄県人の強い組織との連携をとり議会で奮闘している。

　経済界には、かつて日本人商工会議所会頭にうわさされた保険業の安里貞雄氏、日系人会長をつとめた保険業の仲嶺真助氏、ホノルル経済研究会長の具志安男氏、金融界のワーレン・比嘉氏、金融界長老の嘉数亀助氏らのほか専務クラスの人々が多い。

　実業界ではハワイのスーパーマーケットの王者、照屋氏、上原氏、新川善助氏、養鶏ハワイ一の伊芸氏、養豚業の外間氏、ペプシコーラの与那城氏、レストランの安慶名氏、宮城氏らの面々が揃っている。

　医師界には長老の金城善助氏、天願氏はじめ仲宗根氏ら多数がいる。

　出版界にはハワイタイムス元編集局長の豊平良金氏　湧川清栄氏、市民社長の当山哲夫氏、洋園時報社長の金城珍栄氏らが敏腕をふるっている。

　教育界ではイノウエ合衆国上院議員の経済顧問として活躍したハワイ大学教授の伊芸氏、沖縄の農業指導に再度来島したヘンリー・仲宗根教授のほか、ハワイ大学に数人の教授職員がいる。その他高校の校長として活躍している人もいる。

　男性だけでなく女性の活躍もめざましく150人の看護婦を有するクワキニ病院、看護婦長の渡名喜夫人、洋裁学院長の比嘉ツル氏、保険業界の沢岻チエ子氏らがいる。

　その他琉球芸能の保存、普及育成に尽力している三味線の師匠、池原盛光氏、泉川氏、仲宗根氏ら数人が研究所をもっている。

　舞踊では仲宗根氏（旧姓・真境名氏）、高嶺秀子氏らの外、数人がい

て多くの研究生を有している。

　ハワイ沖縄県人は沖縄の諸問題に多大の関心を示し、その解決に側面から努力している。

　有志の方々は高等弁務官、民政官の就任途上にハワイに立寄る際、会見し意見交換を行い沖縄における諸問題の解決にサジッションを与える。アメリカの国会議員や高官が沖縄へ向かう途中ハワイに立ち寄る際はほとんど意見交換を行なっている。

　ハワイ選出イノウエ上院議員が沖縄問題を国会でとりあげ奮闘した際も、ハワイ沖縄県人のバックアップは大きかった。

　沖縄問題をよりスムーズに解決するため、ある人はワシントンに沖縄出張事務所のような機関を設置することによって国会議員やワシントン政府の高官に沖縄問題をより深く知ってもらうことができる。

　また、ある人は沖縄事情を英文に訳し、それによりアメリカ国民への沖縄理解を深めたいとの希望をもっている人もいる。沖縄とハワイとの結びつきは年々深まり、人事交流をはじめ姉妹都市の縁結びもなされている。戦後沖縄がハワイととくに結びつきが強くなったのは沖縄がアメリカの支配下にあることもさることながら、自然現象、経済基盤に似通った点が多く、学びとるところが多いのが大きな要因といえよう。

　「古里は遠きにありて思うものなり」といわれるがハワイ沖縄県人の故郷愛は地元沖縄に生きる我々にまさるものがある。沖縄発展のため今後いい意味でハワイで活躍する沖縄県人をもっと利用すべきではないだろうか。

　沖縄県人の多くは経済基盤を築いた今日、「沖縄のために自分は何ができるだろうか」と郷土沖縄のために尽すことに喜びを感じている。

　ハワイ移民 65 周年を心から祝い、沖縄県人の一層の繁栄と多幸をはるか沖縄から祈るものである。

（沖縄タイムス　1965 年 5 月 30 日）

第2章　ハワイ沖縄移民100周年を祝う（2000年の論考集）

1．1日15時間も働く、苦難の足跡

　今年は、ハワイ沖縄県人移民 100 周年。年明けの 1 月 3 日には、早くも、ハワイ KZOO 放送局の宇良啓子アナのハワイからの生放送番組のインタビューを受けた。その中で、私はハワイ沖縄県人が 100 年の歴史の中で幾多の苦難を乗り越え、ハワイ社会に確固たる基盤を築いておられたことに敬意を表し、お祝いを申し上げた。

　100 周年のテーマは「おかげさまで 2000 年。1 世紀のウチナーンチュ アロハに架ける橋」となっている。ハワイ沖縄連合会では、1 年を通して多彩な記念行事を盛大に開催するとのことである。

　今から 38 年前の 1962 年に私は、ハワイ東西センターの奨学生として、ハワイ大学大学院に留学した。1960 年代の日本は戦後の復興期で、日本からハワイへの観光客などほとんどなかった。まして、沖縄は、米軍の占領下で戦争で焦土と化した中から立ち上がりつつある貧しい時代であった。

　当時の沖縄で「ハワイ」という言葉は、豊かさの代名詞であった。実際にハワイへ行き初めて見るホノルルの街は、花と緑に彩られた美しい太平洋の楽園そのものであった。街には、乗用車があふれ、家々には、自家用車が所狭しと並んでいた。先進国アメリカ社会の豊かさを実感させられた。

　留学中に私は、多くの沖縄県人から家庭に招待を受け、ごちそうになり、激励を受けた。その温かいご厚意は、忘れることなく、今もハワイへの熱い思いを寄せている。

　ハワイ留学中に、私は、県人の各分野での活躍に接し、ハワイ移民の歴史に深い興味を覚え、各界の代表的先輩を訪ね体験談をうかがった。その内容は、ハワイ移民 65 周年、90 周年の折、沖縄タイムスにシリーズで掲載させていただいた。

　当時のインタビューの中で特に強い印象を受けた移民の苦難の歴史、発展の基盤づくり、戦後沖縄の救援運動に焦点を絞り紹介し、ハワイ沖縄県人と共に100周年を祝いたい。なお、紹介の文中に登場される大半の方が、すでに他界されており、謹んでご冥福を祈りたい。

　沖縄からハワイへの第1回移民は、26人。1900年1月8日に到着、力強い一歩をハワイの地にしるした。これは、移民の父当山久三の移民推進の強い信念と多大の努力による沖縄県人海外雄飛への夢の開幕であった。

　1903年に第2回移民、以降3回、4回と続き、1906年には、4467人が渡布し、ハワイ移民の全盛時代を迎えた。

　ハワイ沖縄移民は、契約移民で大資本家が経営する砂糖きび耕地で労働者として働くことであった。

　1世の体験談によると、その苦労は、言語に絶するものであった。耕地での労働は、厳しく、ポルトガル人監督の管理のもとで、1日14、5時間牛馬のように働かされた。

　少しの気のゆるみも許されず頭上では、絶えず大男のムチがうなっていた。風邪をひいても診断書がなければ休めなかった。気分が悪くても無断で休み宿舎に寝ているものなら理由も聞かず散々たたかれた。仕方なく、昼中、砂糖きび畑の中に身を隠すこともあった。

　あまりの過酷な労働に耐えかね太平洋かなたの郷里へ思いをはせ涙した日も多かった。逃げだす者もいた。耕地での過酷な労働、虐待は、ハワイ移民1世の哀歌として語りつがれている。

（沖縄タイムス　2000年1月7日）

2．養豚・養鶏業で成功、経済基盤を築く

　砂糖きび耕地での低賃金では、いつ郷里へ錦を飾って帰れるか分からない。このような思いから耕地を離れ、ほかに職を求める人が増えた。

　米本土へ、ホノルル市近郊へと移って行った。ホノルル市近郊へ移って来た人は、仕事がなく、明日への生活に不安を抱いた。そんな時に人々の脳裏に浮かんだのは、沖縄での経験が生かせる養豚、養鶏業であった。

　ホノルル市は、白人が多く、大幅な肉の消費量が見込めた。豚肉は、大半が米本国からの移入であった。

　人々は、砂糖きび耕地で蓄えた小銭を手持ち資金で豚を購入し、飼育をはじめた。よく売れた。販売利益があがると飼育頭数を増やした。この成功を知り、沖縄県人の養豚業者は、増えた。

　卵の生産販売を目標に、養鶏業を始める人も出てきた。これも成功した。戦争直前まで、養豚、養鶏業の7割までが沖縄県出身であった。沖縄県人の経済的基盤づくりの強さは、その結束力にあった。

　養豚、養鶏業で利益をあげ資金にゆとりのある人は、事業計画している県人に融資した。

　移民は、抵当物件がないために銀行からの借り入れができなかったので、模合による資金の捻出を図った。模合は、他府県には、まねのできない資金づくりの有効な手段であった。

　第2次大戦による戦時景気は、沖縄県人の経済基盤を築く大きな要因となった。それらは、①養豚、養鶏業の繁栄、②レストラン業の繁栄、③子弟の大学進学の増加、④2世の兵役生命保険受給等であった。

　太平洋戦争開始に伴い、物価は、高騰し、養豚、養鶏業は、ますます繁盛し、現金収入は、増加した。この繁栄は、終戦後まで続いた。

　一方、養豚業者は、豚の飼料としてレストランの残飯をもらい受けていた。毎日、早朝から豚の飼料入れをカランカラン音をたてながら市街地を回るので、いつの間にか沖縄県人を豚ケンケンとさげすむようになっていた。

　レストラン業も7割近くが沖縄県人の経営であった。

　米国は、真珠湾攻撃を受けて以来、日本軍の上陸に備え、50万の兵力をハワイに配備していた。明日の命を知らない兵隊たちは、金を湯水の如く使った。レストランは大繁盛した。また、太平洋艦隊の本拠地の真珠湾では、毎日多くの労務を必要とした。老若男女が真珠湾で働き多額の収入を得た。

　出征兵士の2世には、保険がかけられ、戦死者の遺族へは、多額の保険金が支払われた。

　帰還した2世には、大学、専門学校進学の奨学金が支給された。

　戦時景気の影響は、他府県人、他国系人にも等しく該当したが、沖縄県人の場合は、養豚、養鶏業、レストラン業の繁盛など、特筆に値した。

　沖縄移民は、他県に15年遅れたが、その勢力は、広島、山口、熊本県に次いで大きい。だが、沖縄県人の日系人社会における活躍は、戦後になってからで、戦前は、他府県人の沖縄県人べっ視が、ひどかった。

　初期の沖縄移民は、共通語が話せなかった。他府県人と同一棟に住みながら、婦人の場合口もきかず、道で顔を合わせても避けた。

　男性は、一人家の中に閉じこもって、三線を弾き、移民の寂しさに耐え、他府県人との交際を避けた。他府県人は、沖縄に関して知識がなかった。双方に深い溝ができた。

　1世の代だけでなく、2世社会にも影響し、婚姻にもひびいた。この状況は、沖縄県人の経済基盤の安定、各分野への進出、活躍によって次第に解消されていった。1963年には、日系人を代表する日系人会長に初めて、沖縄県人の仲嶺真助氏（保険会社代理店社長）が選出された。

　仲嶺氏の日系人会長就任は、沖縄県人にとって大きな誇りであり、勇気づけとなった。

　過去の他府県人の沖縄県人べっ視とも関連して、仲嶺氏は「日系人会長就任の目的は、多々あったが、沖縄県人でもこれだけやれるのだということを頭の古い人々に十分知ってもらいたかった」と過去の苦い経験を語っておられた。

（沖縄タイムス　2000年1月11日）

3．沖縄救援運動 550 頭の豚輸送など

太平洋戦争の激化につれ、ハワイ沖縄県人は、沖縄同胞の身上を案じた。今次大戦が、日米戦であっただけに日系人の立場は、苦しかった。日系人指導者は、米本国へ連行され、収容された。一方、2 世たちは、米国に忠誠を誓い、一命を賭してイタリア戦線に参戦していた。

収容所からハワイに戻った県人有志は、沖縄救援事業に取り組んだ。

イタリア戦線で戦争の悲惨さを体験した比嘉太郎氏（元貸しボート業）は、一人でも多くの沖縄県民を救いたいとの思いから、1945 年 6 月に志願して沖縄戦線に参加した。

比嘉氏は、沖縄戦の惨状を詳細に記録し、安里貞雄氏（保険業）に報告した。この情報は、豊平良金氏（ハワイタイムス編集長）を経て、ハワイタイムスに掲載され、大きな反響を呼んだ。

沖縄の悲惨さを知った沖縄県人は、「同胞を救え」を合言葉に、沖縄救済事業会を設立、救済運動を展開し、衣類、食糧、医薬品、ヤギなどを送った。中でも、特筆すべきは、繁殖用の豚 550 頭を送る計画であった。

ハワイ移民はじまって以来の大事業であった。救済会では、沖縄から入る情報を分析し、救援活動への意識の高揚を図った。

救済会（会長・金城善助医師）では、豚の購入計画、輸送世話人の選出を行った。その結果、豚の輸送には、山城義雄氏（獣医）、渡名喜元美氏（園芸家）、仲間牛吉氏（養豚業）、島袋真栄氏（商業）、上江洲易男氏（経営者）、宮里昌平氏（旅行業者）、安慶名良信氏（レストラン経営者）らが当たることになった。

一行は、サンフランシスコへ渡り、豚を購入、米軍へ輸送船の借用を願い出た。ところが、まだ、国交回復がなされていない日本へ民間人の救援は、認められなかった。そこで米国から沖縄への援助の名目で船を借用した。

ポートランド出港が、1948 年 8 月 31 日。途中大しけにあった。太平洋の荒波に揺られ、船酔いの苦しみを抑えての豚の世話をした。太平洋

上には、機雷が漂流し、身の危険も大きかった。まさに、決死的な豚輸送であった。1カ月近い航海を経て、9月29日に船はホワイトビーチに接岸した。

　沖縄本島が見えた時、一行は、大任を果たした感激でお互いに抱き合って男泣きに泣いた。

　港には、琉球政府工務部長の松岡政保氏、後の琉大教授、日越国吉氏らが入港を心待ちにしていた。一行は、同胞が収容されている地域を巡り、ハワイへ戻ってから詳細に報告した。

　ハワイでの次の計画が沖縄更正会による基本機関の設立であった。湧川清栄氏（ハワイタイムス）、山里慈海氏（慈光園開教師）比嘉静観氏（牧師）らは、沖縄に銀行、新聞社、大学の3機関の設立を構想した。計画は、具体化し、10万ドル目標の募金活動が展開された。湧川氏らは、ハワイの軍司令部を訪ね大学設立構想を説明した。その後、米軍側による大学構想がうちあけられた。1950年に米軍により琉球大学が設立された。

　琉大は、沖縄の戦後の苦難の歴史と共に進み、大きく発展し今年50十周年を迎える。

　ハワイ更生会では、大学設立予定の資金を沖縄からハワイ大学への留学生奨学金に活用し、5人の留学生を受け入れた。これが契機となって、米国防総省による米留学制度がスタート、復帰前までに千余人の若人が米国各地の大学で学んだ。

　今、ハワイ沖縄社会は、1世、2世の時代から3世、4世の時代へと大きく様変わりしたが、沖縄の心は、立派に受け継がれている。沖縄県人会では、沖縄文化の継承、県人会発展のため、独自のテレビ番組を制作・放送し、また、毎年、100人近い若者を沖縄へ派遣し、沖縄の歴史、文化を学ばせ、県人会の後継者育成に努めている。

　ハワイ州のカエタノ知事、ホノルル市のハリス市長の沖縄県人バックアップへの思いは強い。カエタノ知事の後援会ブレインは、沖縄県人で、知事を大きく支えている。また、州議会には、10人の沖縄県人議員が活躍しており、過去2回にわたり、沖縄基地問題に関する決議を行い大

統領に要請している。

　ハワイ沖縄県人は、政界、経済界、教育界など各分野に多くの人材を
輩出し、リーダーとして、めざましい活躍をしている。沖縄の経済支援
をめざし、世界ウチナーンチュビジネスネットを形成、その中枢をハワ
イにおき、世界各国のウチナーンチュネットワーク強化を図っている。

　ハワイ沖縄県人の一層の飛躍を祈り、ハワイ・沖縄のますますの連携
強化に期待したい。

（沖縄タイムス　2000年1月12日）

輸送船甲板上の豚と豚の世話人
（浜端良光氏提供）

第3章　沖縄県系人リーダーとの絆

1. 沖縄県系人初の日系人会長

保険業界で活躍
仲嶺眞助

　ハワイ日系人連合協会第6代会長、ハワイ沖縄連合会第6代会長として活躍された与那原町出身の帰米2世、仲嶺眞助氏が11月22日にホノルル市の自宅で逝去されたとの報に接し、心からお悔やみを申し上げる。

　仲嶺氏はハワイ沖縄県系人の社会的ステータス向上に貢献され、海外にあって沖縄の発展に多大の尽力をされた。

　初めてお会いしたのは、1962年で、ハワイ東西センターの奨学生としてハワイ大学へ留学した折だった。当時私は、ハワイ沖縄移民の豊かな生活基盤づくりに興味を覚え、移民の足跡が知りたいと思い、多くの沖縄県系人のリーダーを訪ねた。その一人が仲嶺氏だった。

　仲嶺氏は、ハワイで生まれ、3歳の時、沖縄へ帰り、県立一中を卒業した、その後、さらにハワイへ戻り高校を卒業して生命保険会社に就職、保険代理人として60年余にわたり、保険業界で活躍し、大きな足跡を残された。

　若いころ、ウルマ青年会活動に参加し、毎年の日英弁論大会、討論大会実施の経験からか日米両語のさわやかな弁舌にたけた方だった。戦後、ハワイで大々的に展開された沖縄救援運動の中心的リーダーとして多くの物資調達、ブタの輸送など、沖縄の戦後復興に貢献された。1957年には、ハワイ沖縄県人連合会長に就任、県人会の基盤づくり、ハワイと沖縄の交流に多大の尽力をされた。

　ハワイ移民初期のころ、言語、風習、文化の違いから他府県人の沖縄県人蔑視の状況があった。これは沖縄県人の社会進出によって次第に解

消された。

　1963 年、仲嶺氏はそのような県人蔑視が残る日系人社会の中で、沖縄県系人として、初めて日系人会長に立候補し、選出された。後日、仲嶺氏は「日系人会長就任の目的は、多々あったが、沖縄県人でもこれだけやれるのだということを頭の固い人々に十分知ってもらいたかった」と過去の苦い経験を語っておられた。会長就任は、沖縄県系人の社会的ステータスを大いに高めた。

　多大な社会貢献が認められ、1983 年秋の叙勲で勲四等瑞宝章を受章、1985 年には琉球新報賞を受賞された。生前のご活躍に敬意を表し、心からご冥福を祈ります。

（琉球新報　2003 年 11 月 28 日）

左から仲地政夫氏（ハワイ大学留学中、後に国連本部広報部長）、
仲嶺眞助氏、著者・ハワイ大学留学中
ホノルル日本総領事館、1963 年

2. ハワイ州発展に多大の尽力

ハワイ州教育界の重鎮
アルバート・宮里

　元ハワイ沖縄連合会会長のアルバート宮里氏が逝去され、告別式が2006年3月12日（ハワイ時間）に営まれる。その訃報に接し、私は深い悲しみと寂しさを覚えた。宮里氏には長い間懇意にさせていただき、今年10月の世界のウチナーンチュ大会でお会いできることを楽しみにしていただけに残念でならない。

　宮里氏は、両親が本部町出身で1925年生まれの日系2世。父親の昌平氏は、ハワイ沖縄救済会が戦後沖縄救済のため、豚550頭を沖縄へ送り届けた七人の勇士の一人である。この史実に基づく物語「海から豚がやって来た」の2004年4月ハワイ公演では、アルバート氏が会場、舞台の確保など全面協力され、孫2人も出演。豚輸送の父親と劇中配役を重ね合わせ、深い感動を覚えておられたとのこと。

　アルバート氏は戦前14歳で来日、北九州市の寺で修行した。1年の予定が太平洋戦争でハワイに戻れず、1947年まで7年間日本に滞在した。その間に、広く日本の歴史、文化を学び、後年ハワイでの日本文化紹介に大きな役割を果たされた。

　1967年に南カリフォルニア大学で教育博士号を取得され、教育分野に奉職。校長、ホノルル教育長、ハワイ州教育次長など歴任、ハワイの教育界発展に多大の貢献をされた。76年にはジョージ有吉知事の補佐官として3年、州政発展に尽くされた。

　公職退任後も、ハワイ日系人連合協会会長など多くの要職に就かれ、活躍された。93年に、ハワイ日本文化センター理事長として会館建設募金で来日、ハワイ移民関係母県の多大な協力も得て立派な文化会館建設にご尽力した。ハワイ沖縄移民100周年には、ハワイ沖縄連合会長と

して 1 世が築いた沖縄アイデンティティーの熱い思いを 21 世紀の次世代へ継承する記念事業を実施された。

　人々の厚い信頼と優れた人格で日米の懸け橋となり、幅広い分野でハワイ州の発展に多大な尽力をされたアルバート氏に心から敬意を表し、ご冥福を祈る。

（琉球新報　2006 年 3 月 12 日）

ハワイ沖縄連合会による移民100周年記念パレード
カラカウア通り、2000年（渡口彦信氏提供）

3. 沖縄へ豚輸送、手広く養鶏業

チキン業界のリーダー
上江洲易男

　ハワイ移民で旧具志川出身の上江洲易男さんが2011年7月20日に療養先のホノルル市内の病院で逝去された。上江洲さんは1948年、沖縄救援のため550頭の豚を米本国から沖縄に輸送した7人の勇士のうちの1人だ。上江洲さんの訃報に接し、私は深い悲しみと寂しさを覚えた。

　今から48年前の1963年、わたしはハワイで豚輸送の体験談を当事者から伺い深く感動した。ハワイでは戦後、沖縄救援の大運動が展開され、豚輸送もその一環だった。沖縄救援会（会長・金城善助医師）は募金活動を展開。豚購入、輸送に当たる世話人7人を決定した。

　その7人は山城義雄さん、渡名喜元美さん、仲間牛吉さん、島袋真栄さん、上江洲さん、宮里昌平さん、安慶名良信さんだった。

　一行は米本国で豚を購入。軍船を借用し、1948年8月31日に沖縄へ向けオレゴンを出港した。途中大しけや太平洋上に浮遊する日本軍の機雷に遭遇しながら悪戦苦闘、命懸けの豚輸送に従事した。

　7人の思いは命を賭しても惨状の沖縄に豚を届けたい一心だったとのこと。この豚輸送の物語はうるま市が創出したミュージカル「海から豚がやってきた」で県内、ハワイ、ロサンゼルスで公演され好評を博し、広く紹介された。

　上江洲さんも何度かこの公演を見て感動し、50数年前の実体験に思いをはせていた。また手広く養鶏業を営み、ポパイチキンのハワイ代理店を経営するなど成功した。沖縄への貢献に感謝し、ご冥福を祈る。

（琉球新報　2011年8月1日）

4. 沖縄戦で住民救出の恩人

元日系 2 世兵
比嘉太郎

　『ある 2 世の轍』『移民は生きる』が私の書棚に並んでいる。著者の比
嘉太郎氏から贈られたこれらの書を見るたびに、ハワイで比嘉氏から沖
縄戦時の激戦の状況、住民救出の体験談を聴きながら懇親を深めた日々
が脳裏によみがえる。比嘉氏と私の出会いは、1963 年、ハワイ沖縄県
人リーダーの 1 人、保険会社役員の安里貞雄氏の紹介であった。当時、
私はハワイ大学大学院留学中で、日曜日には、ハワイ沖縄移民各界のリー
ダーに会い、ハワイ移民の体験談を聴き取っていた。その頃、沖縄は、
戦後 18 年目で復興途上にあり、ハワイの生活レベルの高さは沖縄の 10
倍。それだけにハワイ沖縄移民 62 年の歴史の中で、現在のレベルに達
したその背景を知りたいとの思いが各界リーダーへのインタビューに私
をかり立てた。そんな折、激戦地沖縄で命を賭して住民救出に全力を尽
くした比嘉氏の体験談を聴く機会を得た。

　1943 年比嘉氏は、アメリカ日系部隊、百大隊の一員として激戦地イ
タリア戦線に参戦した。多くの隊員が命を落とし、比嘉氏自身も負傷し
野戦病院に送られ、2 度目の負傷で米本国へ移送された。退院後米国各
地で 2 世部隊のヨーロッパ戦線での勇敢な戦闘状況を報告した。

　太平洋戦争が激化し、米軍の沖縄上陸が予想されるにつれ、比嘉氏は
占領後のイタリアの街で見た市民の悲惨な生活状況、特に若い女性が米
軍相手に娼婦となり身を安売りする姿が脳裏に浮かんだ。

　比嘉氏は、米軍の沖縄占領後に郷里沖縄の人々をイタリアのような悲
惨な状況に直面させたくないとの強い思いから、志願して通訳兵として
1945 年 4 月 25 日に激戦地沖縄に到着した。

　沖縄戦ではウチナーグチと日本語で、ガマ（自然壕）の中に隠れてい

る住民に投降を呼びかけた。なかなか出てこないので、撃たれる危険性があるにもかかわらず、拳銃も持たずに丸腰でガマに入って行った。そして、自分が北中城の出身でハワイ2世兵であること、米軍は決して捕虜を殺さないことを切々と説いた。比嘉氏は北中城を中心に恩師、親戚、友人など多くの人々を救出した。そして救出後には多くの旧知の人々との再会の喜びを味わった。

さらに、比嘉氏は沖縄戦中に廃墟と化した沖縄の惨状に心を痛め、その状況をつぶさに記述した手紙を幾度となくハワイの安里貞雄氏に送った。安里氏は比嘉氏の沖縄報告の手紙を「ハワイタイムス」の編集局長豊平良金氏に届けた。比嘉氏の沖縄戦況報告は「ハワイタイムス」で大々的に報道され、大きな反響を呼んだ。

比嘉氏は除隊後ハワイに戻り、ハワイ各地で沖縄戦の状況報告と「沖縄の同胞を救え」の講演会を開催した。その報告を受け、ハワイの各種団体により沖縄救援運動が大々的に展開され、学用品、医薬品、衣類、山羊600頭、豚550頭の救援物資が沖縄に送り届けられた。一方、「日本勝った組」の人々がいて、その人々は沖縄への救援物資収集、輸送に反対した。

私が比嘉氏に会った時、比嘉氏はホノルル市アラワイで貸しボート業を営んでいた。

1964年5月、ボートハウスに歌手の村田英雄夫妻が立ち寄り、私も呼ばれて比嘉氏と共に村田夫妻の4人でボートに乗り楽しいひと時を過ごした。村田氏はハワイに来た折に、勇敢な2世部隊に思いを馳せ［嗚呼百大隊の名は残る］を作詞し比嘉氏に進呈した。この歌詞は、比嘉氏の著書『2世の轍』に掲載されている。

また、比嘉氏はボート業の傍ら、『ハワイに生きる』のドキュメンタリー映画を制作中であった。この映画は私が帰国後しばらくして仲宗根政善琉大教授、琉球政府文教局嘉数正一指導主事と私宛てに届いた。映画は、多くのハワイウチナーンチュの働く現場の映像取材とインタビューで構成されていた。私は、その映画フイルムと映写機を持参し、比嘉氏の出

身地北中城村の公民館で映写会を開き、多くの人々に見てもらった。

　1966年12月、比嘉氏から私宛てに日本海軍による真珠湾攻撃で炎上する戦艦アリゾナの写真や記事を特集した新聞「ホノルルスターブレテイン」と「ホノルルアドバタイザー」が届いた。比嘉氏は「沖縄の人たちにも25年前の悲劇の日を記憶してもらい、平和の尊さを訴えたい」としたためてあった。私は、この資料を沖縄タイムス社の編集部に持参し掲載いただいた。比嘉氏の平和への思いが一段と強く伝わってきた。

　比嘉氏が晩年に夫妻で沖縄を訪問した折、久し振りに会い、夫妻を夫人の出身地の東風平町の親戚宅へ案内した。その折、数年振りに親しく懇談した。出会いから20年近い交流は、語りつくせない思いがあった。

　沖縄戦の戦場での住民救出、帰国後の沖縄同胞救援への講演会、ハワイでの沖縄救援活動の発端となった比嘉氏の活動が沖縄タイムス社に高く評価され、比嘉氏に「沖縄タイムス賞」が授与された。

　2018年に、ハワイ沖縄連合会は比嘉氏の功績を高く評価しレガシーアワードを贈呈した。故人比嘉太郎氏に代わり、長男のアルビン・比嘉氏が賞を受け取った。

　比嘉氏のヒューマニズムは、戦後74年経た今日でも色あせることなく輝きを増し、その業績を讃える活動は、今いくつかの団体で取り組まれている。

比嘉太郎氏夫妻と著者・ハワイ大学留学中（右）
東西センター日本庭園、1963年

5. 教育界、ハワイと沖縄交流に貢献

女性初のハワイ沖縄連合会長
ジェーン・勢理客

　ジェーン・勢理客元ハワイ沖縄連合会長は2006年に同連合会の専務理事に就任した。その数年後の2010年に私は沖縄ハワイ協会長に就任し、8年余にわたり勢理客氏と私は二人三脚でハワイ沖縄連合会と沖縄ハワイ協会の連携強化、沖縄とハワイの一層の交流推進に努めてきた。

　勢理客専務理事は小学校長時代からハワイ沖縄コミュニテイに大きな関心を寄せ、ハワイ沖縄連合会活動に関わり、1993年にハワイ沖縄連合会初の女性会長となった。その後、請われて専務理事に就任し、連合会組織の要として長年幅広い活動展開を図り、沖縄県の各分野との交流推進に全力を傾注してきた。

　専務理事の仕事は幅広く多岐にわたり、毎年9月のハワイ沖縄フェスティバル、1月の新役員就任式・祝賀会、連合会機関誌「ウチナーンチュ」の隔月1万部発行、若い世代に沖縄の歴史文化を学ばせるスターディツアー、その他諸行事に対応してきた。沖縄との交流では毎年交代で就任する新会長と次期会長の沖縄県知事、関係市町村長などへの表敬訪問に同行、ハワイと沖縄の高校生交流、県、各市町村、各種団体、大学間交流の対応など激務に追われる日々であった。

　2015年に沖縄県・ハワイ州姉妹提携30周年記念式典、交流懇親会が7月10日にホノルル市で、10月7日に那覇市で盛大に開催された。ハワイ州及び沖縄県での式典、懇親会の日程をハワイ州職員と連携し調整、推進したのは勢理客専務であった。沖縄での開催の折、ハワイからは、ディビッド・イゲ知事、職員、ハワイ沖縄連合会の役員など大勢が同行した。イゲ知事は西原町出身の3世で、初の沖縄県系ハワイ州知事の初来県とあって大歓迎を受けた。

　沖縄ハワイ協会では、勢理客専務に、イゲ知事講演・歓迎会の日程を調整いただいた。沖縄ハワイ協会主催の講演、交流会には翁長雄志沖縄県知事、上間明西原町長はじめ多くの市町村長、企業・団体代表など、関係者500人余が参加し、イゲ知事一行を心から歓迎した。勢理客専務は、イゲ知事の親戚訪問、墓参りにも同行した。

　また、2016年10月に開催された第6回世界のウチナーンチュ大会にハワイからイゲ知事を先頭に1800人余が参加した折も、沖縄滞在中の知事日程を勢理客専務が秘書と共に取り仕切った。勢理客専務は、2011年の第5回世界のウチナーンチュ大会に参加のニール・アバクロンビー知事についてもイゲ知事同様の日程調整をした。

　勢理客専務の沖縄への愛着、次世代の人材育成へのバイタリティ、意欲は実に強かった。勢理客専務は、中城の出身で2世。

　幼い頃に貧しい移民時代の生活を経験した1人でもあった。両親はハワイの離島マウイ島で農業に従事し養豚、養鶏業などを営み生計を立てていた。父親が自宅で豚を屠殺する際に、豚が暴れないように抑えつける手伝いもした。幼い頃に見た、屠殺される豚の惨めな光景が脳裏に焼きつき、豚肉料理は食べなかった。高校を卒業し、ハワイ大学教育学部に進学した。自分で生活費、学資を稼ぐため、大学入学時から卒業まで白人宅でベビーシッターの住み込みアルバイトをした。

　大学を卒業し小学校の教員となり教育に専念した。持ち前のバイタリティと豊富な教育経験を積み重ね校長に昇格し長年教育界で活躍した。

　ハワイからの高校生沖縄派遣事業は、本来ハワイ州政府で実施されていたが、政府の予算ひっ迫に伴い廃止の方向にあったのを、ハワイ沖縄連合会が肩代わりして継続実施している。

　2017年6月4日にハワイ捕虜沖縄出身戦没者12人の慰霊祭が戦後初めてハワイで実施された。この慰霊祭は沖縄から80人、ハワイの参加者を含め200人余の参列者でホノルルの慈光園で盛大に開催された。この慰霊祭のハワイでの準備取り仕切り、ハワイ捕虜沖縄出身者の収容所跡地視察の手続き等、一切を勢理客専務が担当した。

　この慰霊祭の実施は沖縄の元米軍捕虜渡口彦信氏の依頼によりハワイ沖縄連合会と沖縄では沖縄ハワイ協会役員と関係者で構成するハワイ沖縄捕虜戦没者慰霊祭実行員会との連携により執り行われた。慰霊祭は勢理客専務の格別な協力により実現できた友情の大きな成果であった。

　専務理事の仕事は極めて多忙で、夜遅くまで仕事に追われる日々が続いていた。勢理客専務は会長、専務理事時代を通して沖縄各分野に幅広い人脈を培ってきた。それだけにハワイと沖縄との相互交流発展に資する情熱は益々高まっていた。

　2018年7月6日に他界された勢理客専務の多大の功績に敬意を表し、ご冥福を祈る。

沖縄県女性団体役員による
ジェーン・勢理客ハワイ沖縄連合会初の女性会長歓迎会
1993年6月24日

6. ハワイ州運輸行政で幅広い活躍

学者、元ハワイ州政府運輸局長
東恩納良吉

　1980年代後半から、沖縄県系3世がハワイの各界各分野で活躍する時代へと始動していた。その先駆けが東恩納良吉氏であった。東恩納氏は、ハワイに初めて誕生した日系人のジョージ・アリヨシ知事に請われて1976年にハワイ州政府の運輸局長に抜擢された。就任以来8年間、学識経験と持ち前のバイタリティでハワイ州政府の運輸行政全般、交通体系の整備、充実に努め、ハワイ州の発展に大きく貢献した。

　州政府退任後の1985年にハワイ沖縄連合会会長に就任、ウチナーンチュコミュニティ、ハワイ沖縄連合会の組織強化、発展に尽力した。

　私が東恩納氏と緊密な連携を図り、親交を深めたのは、1994年6月、沖縄県の知事公室長として大田昌秀知事を団長とする訪米要請団に同行し、ハワイを訪問した時からである。大田知事一行の訪米要請団は、ワシントン訪問からの帰途、ハワイの米軍太平洋司令部にスタックポール太平洋司令官を訪ね沖縄の米軍基地の整理縮小、訓練場の移転などを強く要請した。スタックポール司令官は、沖縄駐留海兵隊の司令官経験もあり、司令官室玄関前に沖縄県旗と星条旗を掲げ大田知事一行に歓迎の意を表した。

　その折の、コーディネイト通訳が沖縄県から依頼した東恩納氏だった。東恩納氏は大田知事一行の激しい米軍基地問題解決への要請に対し、米国人として司令官に臆することなく堂々と実に的確な日本語と英語で通訳をした。私は、その勇気と語学力に深く敬意を表した。

　実は、東恩納氏は、1985年6月、当時の西銘順治知事が基地問題解決要請で訪米した折に、ハワイ出身米国国会議員はじめ米国政府要路に事前に根回しをし、ワシントンで西銘知事に同行し通訳も務めた。それ

だけに東恩納氏は、沖縄の米軍基地問題に対する沖縄県民の思いを良く
理解し、強く受け止めていた。その背景には東恩納氏の沖縄での戦争体
験、廃墟から復興途上の沖縄での軍務経験があった。

　東恩納氏は小学校3年の時、激しい地上戦の沖縄で悲惨な戦争体験を
し、戦後は廃墟と化した沖縄中部で母親、妹と共に厳しい生活を経験。
父親を戦争で失い、小学校6年卒業後に将来を見越し母親、妹と別れ祖
父の呼び寄せでハワイへ帰米3世として移住している。

　ハワイで英語力を培うのに猛勉強した。特に、正しい発音を身につけ
るため口の中から血がにじみ出るほどの努力を重ねた。ハワイ大学に進
学し、土木工学を専攻。卒業すると徴兵制度で陸軍に入隊。大学卒は将
校に任官されるので少尉に格付けされた。

　配属前には、全米から選り抜きの優秀な新人将校と共にワシントンで
厳しい訓練を受けた。小柄な東恩納氏は突撃訓練でも白人の大男達と競
争。負けん気の強さとバイタリティで訓練修了時には高い成績評価を受
けた。配属先は、予想もしない沖縄であった。

　1959年6月30日に宮森小学校に米軍戦闘機が墜落し多くの犠牲者が
出た。東恩納氏が着任したのは同年11月だったが、戦闘機墜落事故に
よる犠牲者への調査は完了してなく、東恩納氏は着任早々ブース高等弁
務官から日本語の分かる将校として被害者調査を命じられた。米軍病院
と連携を図りながら約10日間にわたり被害者の聞き取り調査を実施し
た。調査資料をまとめ報告書として弁務官事務所に提出した。

　その後、弁務官は替り、東恩納氏は、沖縄の人々から帝王と恐れられ
ていたキャラウェイ高等弁務官の側近として、弁務官資金による土木工
事の責任者となり沖縄の市町村、地域からの要請に対応した。東恩納氏
は、キャラウェイ弁務官と八重山西表島でのキャンプや、多くの離島、
地域を視察するなど住民の要望に応えた。

　沖縄勤務中は処遇も良く、弁務官にも引き止められたが、軍隊を辞し
学者の道を歩む方向を目指した。米本土の大学で博士号を取得し、母校
ハワイ大学の教官になった。その後、前述のようにアリヨシ知事に請わ

れてハワイ州の運輸局長に就任した。

　公務を離れ、益々沖縄コミュニティーの将来発展に強い思いを寄せるようになった。ハワイ沖縄連合会の財源確保の支援機関となるハワイ沖縄プラザ建設推進にプラザ建設の発案者である元ハワイ沖縄連合会長のジョージ・玉城氏と共に全力で取り組んできた。10年がかりのハワイ沖縄プラザ建設計画は2018年9月に落成式を迎えた。沖縄からも約2億円の助成金、募金が寄せられた。

　東恩納氏のハワイと沖縄の交流発展に今後一層尽くしたいとの思いは強い。

大田昌秀沖縄県知事による沖縄米軍基地縮小要請
左手前、ヘンリー・スタックポール太平洋司令官、
右から東恩納良吉氏、大田知事、著者・沖縄県政策調整監、
山内徳信読谷村長、ハワイ太平洋司令官応接室、1994年

7. 米国の人間国宝、琉球舞踊を世界へ

琉球舞踊師匠
仲宗根リン芳子

　ハワイで活躍の琉球舞踊家、仲宗根リン芳子師匠が米国の人間国宝（国立芸術基金ナショナル・ヘルテッジ・フェロー）に認定された。その認証式が、2012年12月3日にワシントンで行われた。仲宗根師匠は、「芳華流花虹の会」仲宗根ダンスアカデミーを主宰、ハワイで56年余にわたり琉球舞踊の指導、普及、発展に多大な貢献をされている。

　仲宗根師匠は人間国宝の認定の通知を受け、2012年6月下旬には早速、ご主人の仲宗根クラーレンス朝和氏と共に、沖縄を訪問され、恩師の故金武良章師匠の墓前に花を手向け、報告をされた。来沖の折の7月3日に沖縄ハワイ協会役員と仲宗根師匠に近しい舞踊家でささやかな祝賀の食事会を開催し、お祝いを申し上げた。

　今回の人間国宝の認定式の3日には、ワシントンで琉球舞踊が披露された。仲宗根師匠と娘2人の3人で格調高く「かぎやで風節」と「めでたい節」を踊った。ハワイから同行の歌・三線2人、太鼓1人、琴1人の合奏に合わせ、琉球伝統芸能が人間国宝認証の一環として披露され、全世界へ発信された。実に輝かしく、ウチナーンチュの大きな誇りである。

　仲宗根師匠の沖縄芸能への熱い思い、その業績は、ご夫婦共著の『花虹（ハナヌージ）～50年の歩み～』に詳細に記述されている。特に、お2人が強調されていたのは、舞踊を習っている子供たちに数多くステージを経験させることによって子供たちに集中力や自信がつき学業成績の向上にも大きく結びついているということ。教え子に博士号取得が10人おり、そのうち医師が8人、大学教官が2人となっている。社会的活動への貢献に誇りを持っておられた。

　仲宗根ご夫妻が二人三脚で取り組む琉球舞踊の国際発信に一層大きく期待したい。

　この栄誉ある仲宗根さんの米国人間国宝の認証を私は 2012 年 12 月 3 日の琉球新報紙上で紹介し、多くの沖縄県民と共に喜びを分かち合った。

HUOAによる特別賞受賞者3人の表彰
中央、仲宗根リン芳子さん米国人間国宝、
左隣り、仲宗根光子さん日本文化振興会国際文化賞、
右隣り、ロバート・仲宗根さん叙勲、
右端、サイレス・玉城ハワイ沖縄連合会会長、
左端、ジョージ・バーテルス次期会長、2012年

8. ハワイと沖縄の政財界に幅広い人脈

元ハワイ州政府税務局次長
ゲリー・新門

　ゲリー・新門（ミージョー）元ハワイ沖縄連合会長はハワイ沖縄県系3世で、ハワイと沖縄の政財界に幅広い人脈を有するハワイのリーダーである。

　同氏はハワイの政治・社会動向に極めて造詣が深く、沖縄へ来られるたびに、私は2003年から10年間担当してきたFM21局の1時間番組「市民の広場」に数多く出演いただきハワイ事情を語っていただいた。

　新門氏は沖縄県旧勝連町字比嘉出身で、戦後の貧しい時代に小学校3年まで浜比嘉島で過ごした。その後、母親と共にハワイに移住。英語が全く分からず小学校1年生に入学した。高校を卒業する時には同期生より2歳年上の20歳であった。大学はロサンゼルスのロングビーチ大学に進学し商学を専攻した。

　家庭が貧しく学資・学費は、レストランでの皿洗い、アパートの清掃などアルバイトで稼いだ。大学時代は米国での白人と黒人の人種差別が大きくクローズアップされていた時代で、新門氏は反社会的になりヒッピーの生活体験もした。白人の黒人差別はハワイにおけるヤマトンチュのウチナーンチュ差別と似通う一面を実感した。それだけに新門氏には白人より黒人の友人が多かった。

　大学を卒業して米国連邦政府主税局に就職し、ロサンゼルスで10年勤務した。その後、ハワイに転勤した。ハワイでは、やくざの脱税行為を取り締まる取締官として業務に従事した。殺人事件などを引き起こしていたやくざを相手とする仕事だけに常時拳銃を携帯しての厳しい業務対応であった。

　一度は親分と子分3人を訴え裁判の結果有罪となり、刑務所へ移送の

際、数十人の武装警官が護送するという物々しい現場にも対応した。この状況は新聞でも大々的に報道された。脱税取り締まり業務を9年間続け、退職した。

1980年に新門氏はハワイの沖縄県系次世代のリーダー37人の1人として沖縄の歴史文化を学ぶため沖縄を訪問した。その折、西銘順治沖縄県知事はじめ、多くの政財界のリーダーに会った。その人々は初対面から異口同音にハワイ沖縄県系人による戦後沖縄救援への感謝の気持ちを述べていた。笑顔で真心から語る感謝の気持ちはハワイから訪問した若者の心に響き、新門氏は、そこでウチナーンチュの心の温かさ、優しさ、豊かさを学び、ウチナーンチュとしての大きな誇りを持つようになった。

1983年に新門氏はハワイ沖縄連合会の会長に就任した。会長として目指したのは沖縄訪問の折に学んだウチナーンチュとしての誇り、料理、芸能、空手、沖縄の独自文化に誇りを持つことを前面に掲げて活動を推進した。虐げられたウチナーンチュが底辺からトップに上り詰めることを目指した。

ウチナーンチュの1世は2世の教育、2世は3世の教育に全力を傾注してきた。ハワイで最も貧しいカリヒ地域に住んでいたウチナーンチュも懸命の努力で、その地域を脱しハワイ各分野に進出した。

新門氏は米国政府を退職した後、1986年にレストランを開業し経営していた。そんな矢先に、沖縄県西原町系夫人の婿、ジョン・ワヘイ知事が誕生し、請われて1987年にハワイ州税務局次長に抜擢された。その折、沖縄県系2世の前ハワイ州上院議員のチャールズ・渡久地氏がハワイ州教育長に、前ハワイ州下院議員で沖縄県系3世のケン・喜屋武氏が知事直属の特別補佐官（局長待遇）に任命された。沖縄県系3人がワヘイ知事によりハワイ州政府の主要ポストに同時に任命された。新門氏は3年間税務局次長として活躍し、その後、ワヘイ知事2期目の選挙本部の顧問に就任し、選挙運動の推進に専念した。それだけに、新門氏は政界に造詣が深く、政財界に幅広い人脈を有している。

一方、1980年の沖縄訪問以来沖縄の政財界にも多くの人脈を築いて

きた。西銘知事との交流も長く、東大卒のエリートだが久高島にルーツを有する庶民的政治家で、県づくりの大きなビジョンを持った政界のリーダーであったと評した。また、大田昌秀知事をハワイ選出の米国会上院議員のダニエル・イノウエ氏に紹介するなど大田知事との懇親を深めた。新門氏は大田知事が、庶民の感情を良く理解し、平和を愛する信念の政治家であったと評した。

　また、晩年の元沖縄市長の大山朝常氏を自宅に訪ね沖縄の本土復帰、復帰後の沖縄への思いなど3時間にわたり心情をうかがい、感動したとのこと。

　新門氏は日本政府から差別化される沖縄の課題を世界レベルのステージにあげ論ずべきとの強い信念を持っている。沖縄をこよなく愛するハワイウチナーンチュである。

ハワイ沖縄連合会役員ら歓迎会
パシフィックホテル沖縄、2015年11月3日

9. 戦後沖縄救援放送、沖縄との交流に貢献

Hui O Laulima 元婦人会長
ジュン洋子・新川

　2007 年 9 月 29 日付で、ハワイ沖縄県系 2 世のジュン洋子・新川さんから 10 ページに及ぶ手紙と手書きの体験記、関連資料が私の手元に届いた。

　私はハワイ沖縄フェスティバルに参加するたびに、文化コーナーに新川さんを訪ねた。新川さんは毎回参加者に懇切丁寧に書道を教えていた。私は、前々から新川さんに、戦後ハワイでの沖縄番組に関わった経験、戦前東京の女学校で学んだ体験談など幅広くうかがいたいと思っていた。ところが新川さんは、多忙を極め体験談をうかがう機会がなかなか得られなかった。それで次回には，ぜひと思い前もって手紙で依頼しておいた。それが懇切にも長文の直筆の体験記と多くの参考資料、ラジオ対談のスナップなどを送って下さった。特にハワイでのラジオでの沖縄番組については、最初に沖縄番組をスタートさせた外間勝美氏をはじめ 2007 年までの 60 年余に及ぶ各日本語放送局における沖縄番組担当アナウンサー 20 人の氏名と活躍状況を紹介した得難い記録を送ってくださった。

　新川さんはハワイで生まれ、5 歳の時に母方の祖父に連れられ旧玉城村前川に来て 1 年過ごした。その後、東京の伯母を頼って上京し、1 年間東京で暮らし、8 歳の時、再渡航してきた母と共にハワイへ戻った。ハワイで中等教育を終え、1941 年東京へ留学し、大妻高等女学校で学んだ。女学校卒業と同時に、女子挺身隊として自ら希望し、海軍省に配属された。戦後ハワイへ戻ろうとした時、かっての海軍省勤務が問題となった。幸い、ハワイ生まれで、海軍省での勤務が通常業務であったことが証明された。1947 年 4 月 1 日、23 歳の時、ハワイ 2 世 37 人と共に

米軍用船でハワイに戻ってきた。

　ホノルルで新垣会計事務所の接待係として働いていたころ、沖縄番組を担当していた外間勝美氏から声がかかり、放送に関わるようになった。外間氏と共にハワイでの戦後沖縄の救援活動推進の放送に大きく貢献した。日頃、番組を担当する中で、沖縄の古典音楽、民謡、沖縄文化への関心を高めた。その後、日本語放送局の KULA 局から誘いがあり、常勤の経理事務所を辞めて 1950 年に日本語アナウンサーとして就職した。ところが、KULA 放送局に「なぜ沖縄県系人を雇ったか」との投書が2件もあった。新川さんは戦後になっても沖縄県系人が偏見視されなければならないのかと発奮し、放送に専念した。他のアナウンサーが休みで代役を務めた折、同番組スポンサーの社長から引き続き同番組を担当してほしいとの声がかかるほどのアナウンスへの高い評価を受けた。その頃、新川さんは、東京で女学校を出た本格的な日本語女性アナウンサーの草分け的存在であった。その後、結婚、病気、子育てなどで、しばらく放送の仕事を休んでいた。

　1963 年、KAHU 放送局で毎週1回、各分野で活躍する沖縄県系2世にスポットをあてた「沖縄系2世の横顔」の番組を企画し放送、大好評を博した。出演者は 40 人余を数え、それぞれの活躍を日本語新聞のパシフィックプレスでも紹介した。これまで新川さんは KHON , KIKI , KNDI などの日本語放送局でアシスタントとしても幅広く活躍してきた。アナウンサーはパートであり、常勤で、立川日本語学校の教師、司書として 20 年勤務した。

　1968 年には Hui O Laulima 婦人会の設立に参画し、3代、4代と2期会長を務め社会に貢献。1970 年よりハワイ沖縄連合会の書記・役員として 10 年勤め、沖縄との交流、ハワイ沖縄センター設立委員として活躍した。ハワイ沖縄連合会書記時代は毎週 KZOO 放送に出向き「かりゆしと共に」の番組で同連合会の活動を紹介した。

　新川さんは、ハワイと沖縄の懸け橋として貢献した功績により琉球新報社から琉球新報賞、沖縄タイムス社から感謝状が贈られた。

　大変残念なことに、新川さんは2008年8月27日に他界された。生前のご厚情に深く感謝申し上げ心からご冥福を祈る。

新川さん放送のスタジオ風景
KULA放送局、1950年7月1日

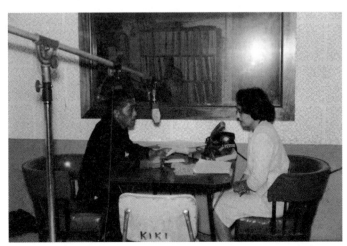

新川さんの比嘉太郎氏へのインタビュー番組、スタジオ風景

10. 放送界55年の輝かしい実績

KZOO放送アナウンサー
宇良啓子

　2016年10月開催の第6回世界のウチナーンチュ大会支援協力でハワイの「KZOO放送」とコミュニティー放送の「FMよみたん」が、週1回の同時放送を10カ月実施した。その企画、立案、実施を担当したのがKZOO放送のベテランアナウンサーの宇良啓子さんだった。大会参加への盛り上げも功を奏し、ハワイから1800人余が参加した。

　ウチナーンチュ大会終了の翌日、10月31日に、私は沖縄ハワイ協会長としてFMよみたんのスタジオでハワイ沖縄連合会のジェーン・勢理客専務理事と共に出演し、大会の全体状況をハワイに伝え、宇良さんと共に大会の成功を祝福した。

　私が宇良さんに初めて会ったのは、56年前の1963年、ハワイ大学大学院留学中に宇良さん担当のKZOO番組への出演の折だった。当時、宇良さんは初々しく20代の美人アナウンサーで番組担当1年目だった。宇良さんの番組に沖縄から最初の出演者は、当時、東西センター高等研究部で研究に専念されていた仲宗根政善琉球大学教授で、私が2番目とのことだった。私は番組出演中に宇良さんの歯切れのよいアナウンスと、演出のうまさに魅了され、感動した。

　宇良さんは悲惨な沖縄戦を体験し、戦後の厳しい社会状況の中でコザ高校を卒業。その後、昭和女子大学短期大学部へ進学し、卒業後はコザ市在の中央高等学校で2年間教鞭をとり、1962年に母親の住むハワイへ移住した。それだけに、ラジオを通して沖縄の戦後復興の状況を広くハワイのリスナーに伝えたいとの意欲と情熱に溢れていた。

　私は、宇良さんとの初めての出会いから56年間、相互に情報を交換し、ハワイと沖縄への思いを深めてきた。また、宇良さんは長年にわたり多

くの沖縄各界の人々との交流親交を積み重ね太い人脈を築いてきた。特に沖縄の芸能関係の方々とのパイプは太く、自らも芸能文化に造詣が深く、内容豊かな芸能文化の番組を制作し放送してきた。

　沖縄からの情報を一層広く収集・活用するため、琉球新報の真喜屋明氏、琉球放送の宜野座朝美氏らとの強力な連携を図っていた。

　2000年には、ハワイ沖縄移民100周年記念番組として、ウチナーグチの継承保存と普及に資するため日・英・ウチナーグチによる通年特別番組を企画、放送した。ウチナーグチはラジオ沖縄の方言ニュースキャスターの伊狩典子さん、英語は国際的に活躍のジェームス・天願氏、日本語は宇良さんが担当し、沖縄電力の協力で制作放送した。

　宇良さんは常に放送人としての気概とプロ意識に徹し、動く中継車のように、テープレコーダーと携帯電話で、ハワイでも沖縄でも臨機応変にKZOO放送と連結し、生で放送するスタイルを貫いてきた。また、これまで築いてきた放送実績、人脈からハワイ州の知事室であれ、どこでもフリーパスで取材できるほどの親近感と信頼を得てきた。

　毎年、ワイキキのカピオラニ公園で開催のハワイ沖縄フェスティバル会場に宇良さんがメインアナウンサーとして設営したKZOO中継ブースからの放送に私も出演したり、沖縄からのVIP紹介など数多く関わってきた。

　2011年の第5回世界のウチナーンチュ大会前には、KZOO放送とFM21との生中継で毎週1回2時間の番組「かりゆしと共に」を宇良さんと一緒に1年間担当し放送した。この番組には多くの市町村長がFM21のスタジオで生出演し、ハワイへメッセージを伝えウチナーンチュ大会参加への盛り上げを図った。

　また、6月23日沖縄の慰霊の日の特別番組では戦前の公立、私立中学学徒隊の戦没について語り合った。その番組の中で、宇良さんは学徒隊の中学校の校歌を次々と紹介した。戦前の懐かしい中学校の校歌を聴きながら、私は宇良さんの資料収集力に深く敬意を表した。

　2017年6月4日に戦後72年目にして初めてハワイで実施したハワイ

捕虜沖縄出身戦没者の慰霊祭終了後の懇親交流会の取り仕切りを宇良さんに依頼した。厳かの中にも和気あいあいとした交流の場を設定いただいた。

　宇良さんは長年にわたる放送を通してハワイコミュニティへの貢献、特にハワイ沖縄連合会の組織強化と発展に大きな役割を果たしてきた。2018年10月28日には、宇良さんが全力を傾注し企画、実施したKZOO放送55周年記念イベント「インターナショナルカラオケフェスティバルGOGO　KZOO」が盛大に開催された。この催しは、宇良さんにとって、55年の長きにわたる放送の集大成の一大イベントであった。

　引退を語る宇良さんに、今後益々頑張ってほしいとの要望、期待が増している。

前列の中央、宇良啓子さん
家族、友人たちと那覇市内で
2019年10月12日

11. 沖縄文化の普及発展に貢献

ハワイ大学名誉教授

聖田京子

　2008年7月、ここ数年来ハワイ大学で沖縄の言語、文化を教えている聖田京子教授が資料収集と出版準備のため来沖した。その折に同年7月1日に発足したハワイ大学沖縄研究センターについて共に語り、発足を祝った。私も同センターの開所式への出席案内をいただいていたので喜びは一入だった。

　1962年、私がハワイ大学大学院に留学した頃のハワイ大学は沖縄への関心が高く沖縄研究が盛んだった。日本史、琉球史専門の歴史家、坂巻駿三教授が活躍していた。

　一方、ハワイ大学内の東西センター高等研究部では、同センターの招聘により元琉球大学副学長の仲宗根政善教授、歴史研究家の比嘉春潮氏、仲原善忠氏、歴史学者で京都大学の小葉田淳教授らが、それぞれの専門分野の研究に専念されていた。沖縄研究の著名な学者・研究者がハワイに揃った時代であった。

　その後、沖縄の日本復帰に伴って、東西センターの沖縄への支援活動は途絶えた。

　あれから45年余を経て、再びハワイ大学での沖縄研究が本格化する時代を迎えた。その間、ハワイ大学で緻密に研究を重ね沖縄語、文化の普及発展に尽力された学者が、ハワイ大学名誉教授の聖田京子教授である。

　聖田教授は、旧羽地村出身で、那覇高校を卒業した。大学進学を予定していたが家庭の経済事情で琉球銀行に就職。勤務の傍ら慶応大学文学部英文科の通信教育を受け、大学卒業資格を得るため銀行を辞め上京し慶応大学4年次に編入、卒業と同時に教員免許を取得した。

　大学卒業後、那覇中学校に1年間勤務、米留試験に合格し、米国のインディアナ大学教育学部大学院で1年学んだ。帰沖して沖縄中部商業高校で教鞭をとった。

　1968年に姉の呼び寄せでハワイに移住した。日本語学校で日本語を教えながら、ハワイ大学大学院の奨学金を得て1年で修士号を取得した。卒業と同時に1970年、ハワイ大学東アジア言語文学部の日本語担当講師に採用された。講師として日本語の初級、上級を教えながら、博士課程に学び博士号を取得した。助教授、准教授、教授と昇格し、教員養成、教育方法論、カリキュラム理論など、教鞭と研究に専念した。その間、琉球大学および沖縄国際大学の沖縄文化論、言語学の教官らとの緊密な連携を図り、沖縄語、文化の研究に全力を傾注した。

　聖田教授は、沖縄移民100周年の2000年にハワイ大学の沖縄研究をバックアップする大きな沖縄の風が吹いたと語っている。それは、沖縄県系人の活躍、組織力、文化発信力等がハワイ社会で大きく注目されるようになった。ハワイ社会全体でマイノリティ文化の受け入れ、女性の地位向上、多文化受容の風潮が高まる時代を迎えていた。

　ハワイ大学の台湾出身の優秀な教授らを中心に東アジア言語文学部に開設されている日本語、韓国語、中国語に加え、台湾語、沖縄語も開設すべきとの主張が大きく盛り上がってきた。

　そのような状況の中で、聖田教授はハワイ大学で40年間日本語教育に専念し、最後の10年間は、日本語科内に「沖縄の言語と文化」コースを開設するのに奔走した。同僚のLeen Serafin教授と一緒にカリキュラム内容の選定及び授業運営方法を編み出し、沖縄講座を担当した。ハワイ大学で初めて、自分の故郷沖縄の言語と文化を海外の学生を通して世界に向けて発信していることへの感動と喜びを覚えた。ハワイ大学における沖縄学実現への強力な支えは学部の同僚による賛同とハワイの沖縄コミュニティであった。「沖縄の言語と文化」コースは沖縄ブームと相まって、常に定員20人の3倍を上回る盛況であった。

　聖田教授は2008年に設立されたハワイ大学沖縄研究センターの2代

目所長も務めた。

　2011年には、海外における日本語の普及及び学術交流に寄与した功績が高く評価され瑞宝中綬章の叙勲を受けた。ハワイ日本語教師会設立、活動への貢献、観光科専攻学生のための商業日本語コース開設、沖縄語と文化コースの開設など多くの業績を残した。

　2010年のハワイ大学退官後は社会活動に専念し、「沖縄がじゅまる会の会長」、ハワイ沖縄センターでの月1回の沖縄の歴史、文化講座を担当、月2回KZOO放送局の沖縄スタディアワーを担当し、活躍している。

　次世代の育成と沖縄とハワイの学術文化交流に一層努めたいとの聖田教授の思いは熱い。

聖田教授の兄（Dr.Victor Okim, 旧姓大城英一）家族、ワシントン在住
Okim氏はハワイ大学卒、ボストンのシーモンズ大学から博士号、著者の友人・同期、ワシントンで幅広い活躍、夫人は大学教授、著名な芸術家、2018年

12. ハワイの人間国宝の栄誉に輝く

池坊ホノルルハワイ元支部長
木田信子

　2011年10月、第5回世界のウチナーンチュ大会にハワイからニール・アバクロンビイ知事を先頭に1200人が参加し、大会を大きく盛り上げた。

　那覇市奥武山の沖縄セルラースタジアムでのウチナーンチュ大会の開会式・閉会式は世界各国、各地から集ったウチナーンチュの出会い、再会の喜びで熱気に満ち溢れていた。盛り上がる現場の雰囲気を最大限ハワイのリスナーに伝えようとKNDI日本語放送局の木田信子キャスターが奔走していた。木田さんはKNDI放送で沖縄番組を担当し、毎週金曜日に沖縄文化の紹介、沖縄情報をきめ細かに伝え好評を博している。

　マイクを片手に取材に専念している木田さんの姿は本職のキャスターである。ところが、木田さんの本来の専門分野は花を愛でる池坊の最高職位の総華督の称号を有する生け花の先生である。

　木田信子生け花教室は毎年ハワイ沖縄連合会がカピオラニ公園で開催するハワイ沖縄フェスティバルに生け花の展示コーナーを設け会場を盛り上げ、人々の心を癒している。

　私は2011年以降、毎年沖縄ハワイ協会長として沖縄から参加のグループと共にフェスティバルに参加している。開会式での来賓挨拶の後、真っ先に、木田生け花教室の生け花展示コーナーを訪ねている。

　木田さんは羽地村の出身で羽地中学、名護高校で私も共に学んだ。10歳の頃、沖縄で悲惨な戦争を体験し、戦後は貧しく厳しい生活環境の中で生きてきた世代である。

　木田さんは美しく、極めて闊達な学生時代を送っていた。故郷の羽地村は美しい山波から湧き出る清らかな水の流れが、広い田んぼを潤し、

夏には黄金の稲穂が波打つ牧歌的風景の村であった。山紫水明の美しい自然環境の中で育った木田さんは 15 歳から花の美しさに魅せられ池坊生け花を習い始めた。

　20 代で池坊の家元のもとで勉強し、沖縄で 15 年ほど生け花を教えていた。沖縄で勤務していた日系 3 世の故木田春雄氏と結婚し、1978 年にハワイに移住した。

　1980 年ハワイで池坊を広めるため池坊ハワイ支部創設時に役員として関わり、さらに生け花インターナショナルのメンバーとして活動を展開した。

　4 年に一度、京都の池坊本部での研鑽を積み、池坊華道会との人的ネットワーク構築と交流に努めてきた。ハワイでの地域活動ではハワイ移住の年から長年にわたり慈光園本願寺の開教師、山里慈海夫妻の配慮のもと、仏花、花展、子供たちへのデモンストレーションなどを実施してきた。ハワイ沖縄センターでの生け花指導、花の展示、子供たちへのデモンストレーション、日本総領事館での祝いの生け花、クワキニ病院受付の生け花、さらにカワイ島での生け花指導などエネルギッシュな活動に取り組んできた。クッキングと生け花デモンストレーション、書と生け花展示のデモンストレーションなど幅広い活動の展開を図ってきた。

　舞踊と音楽リサイタルでの生け花展示、ハワイ沖縄センターで開催の諸行事での会場装飾への参加など、それぞれの会場での催事の盛り上げに大きな役割を果たしてきた。

　木田さんのエネルギッシュな幅広い活動は、人々の心を和ませ、安らぎをもたらしてきた。これまでの諸活動に対する評価は高く、2015 年にはハワイ沖縄連合会からウチナーンチュ・オブ・ザ・イヤーの表彰を受け、同年 3 月には池坊創立 35 周年記念花展の折、池坊 45 世家元池坊専永宗匠から功労賞を受賞した。

　さらに、木田さんは長年にわたる生け花の指導による文化教育面での貢献、後進の育成が高く評価され、本派本願寺ハワイ教団が主催する 2017 年の「リビング・トレジャー・オブ・ハワイ」に選ばれた。こ

れは日本の「人間国宝」のハワイ版で極めて栄誉ある認定である。2017年2月11日にはホノルル市のホテルで盛大な式典と祝賀会が開催された。認定を受けた木田さんは、「受賞を機に日々精進し、この賞に恥じないよう後進の育成、特に若い人、地域のために尽くしたい」と喜びを語った。

　木田さんの「人間国宝」選任は、我々沖縄の同期、友人の大きな誇りと喜びである。木田さんのバイタリテイ溢れる活動展開は今後益々期待されている。

ハワイ沖縄フェスティバルの生け花展示会場で説明する木田さん（右端）
2015年

第4章　ハワイ沖縄移民リーダーインタビュー(1963年)

1. 有識者、労働者支援など幅広い活躍

牧師
比嘉静観

　牧師の比嘉静観氏は1898年、那覇市東町生まれ。同期に比嘉春潮氏、又吉興和氏、山田有幹氏らがいた。教会が近くにあり、幼い頃から教会のサンデースクールに通っていた。当時、沖縄で唯一の中学で、首里にあった県立中学で学んだ。教育勅語が日本のバイブルだと教え込まれたことがあり、教会に通うのを遠慮した時期もあった。教育勅語に満足できず再び聖書に凝るようになった。

　中学を卒業する頃になって、漢那憲和氏からは軍人に、仲吉良光氏からはクリスチャンに、伊波普猷氏からは文学者になることを勧められ、迷ったことがあった。沖縄医学界の大先輩、金城紀光氏から精神の治療をする医者になってはと勧められ神学校への進学を希望するようになった。あの頃の中学生は、酒を飲んだり、辻に通ったりしたが比嘉氏はクリスチャンだったので、そのような遊びは慎んだ。

　社会的には今よりのんびりした時代で、日露戦争はあったが凱旋していたので、戦死者の遺族を取り巻く悲劇というより光明の面が強かった。中学卒業後は東京のバプテスト神学校に進み、夏休みに帰省し伝道した。

　卒業後は帰郷して牧師として伝道に努めた。教会と社会との連携を図るため、伊波普猷氏、比嘉春潮氏らの協力を得て沖縄で初の少年義勇団を組織した。義勇団は青少年の善道が目的で、現在のボーイスカウトに類似するものであった。

　ところが、中学時代から文学や政治に興味があった比嘉氏は、社会運動に興味を持つようになった。バプテスト教会の牧師から、当時、同志

社大学の新島譲氏の流れをくむ組合教会の牧師になった。組合教会は、他の教会より社会との結びつきが強く、やや進歩的であった。その頃、世界各地を回っていたミキモト真珠の御木本氏と知り合うようになり、牧師をやめミキモト真珠工場の教育部教師となり労働教会の教師となった。東京滞在中に沖縄で世話になったアメリカ人牧師の勧めで1920年伝道のためにハワイに行った。比嘉氏のハワイ行き決心の動機には単に牧師としての伝道だけでなく移民労働者の苦しい生活を何とか向上させたいとの若い熱意があった。

　ハワイでは沖縄県人に対する他府県人の軽蔑の念が強い時代だった。沖縄出身者にも牧師がいるとのことで他府県人の沖縄県人への見方もやや是正できたようで沖縄県人から歓迎された。日本で労働教会の牧師をしていた関係で、ハワイに来て労働運動に興味を持ち労働者の側に立つようになった。時あたかも、ハワイ全島あげてのストライキの真っただ中で比嘉氏は、労働者の味方になって新聞に投稿したり、労働者激励の演説をして応援した。

　ストライキの最中に移民労働者は大会を開き、弁士に日本総領事と若い比嘉氏が選ばれた。大会で総領事はストライキの不法を説き、労働者の反省を促す演説をした。総領事の演説に怒った比嘉氏は、「総領事はアメリカ資本家の代表であり、我々民衆の代表者ではない。総領事の演説は、世界の労働運動の歩みを知らない政治家の独りよがりの見解である」と主張した。側にいた総領事はいたたまれず、「お前の将来がどうなるかよく考えろ」との投げ言葉をかけ席を立った。

　2〜3日後に比嘉氏は、教会から呼ばれ、身元引受人の牧師から色々たしなめられた。比嘉氏は日本へ帰した方が良いと総領事から教会に連絡があったようだ。1年後に総領事が転任前に比嘉氏を領事館に呼び、総領事自から握手を求めて来たとのこと。比嘉氏は牧師だが、あまりに労働運動に身を徹するようになり赤と呼ばれるようになった。比嘉氏は教会への義理立てか、その後約10年で牧師をやめ、日本語学校の校長職を務めながら労働者を支援した。1928年に日本で初めて普通選挙法

が施行され、沖縄から漢那氏と、井口氏が国会議員に立候補した。その時、比嘉氏は一時帰国していたので当然先輩の漢那氏を応援すべきだったが、労農党から立候補した慶応大学出身の井口氏を応援し、各地を回った。井口氏を応援したのは、当落は別問題として、沖縄県民に階級意識を目覚めさせるためであったと語っていた。

翌年ハワイへ戻ってからも労働運動支援を続けた。その頃から、ハワイ日系人の間には、ふたつの思想が対立していた。一つは既成政党を基盤とする右翼的で当山哲夫氏が中心、他のひとつは、無産階級側に立つ比嘉氏のグループだった。両者の対立は日に日に深まり、ついにハワイ8島の労働者を中心にホノルル市内の劇場を借り切っての立会演説会が開催された。移民地を挙げての大演説会で、会場は立錐の余地もないほど聴衆で埋まり、弁当持参で会場へ押し掛けた聴衆も多かった。比嘉氏は労働者の新聞であった洋園時報の社長、主幹となり、自ら筆をとり、右よりの新聞に対して労働者擁護と右翼攻撃を行った。それ以来、仲の良かった当山氏とは対立するようになった。

比嘉氏は『資本論』を含む多くの社会主義の本を読み労働者を擁護してきたが、牧師であって、共産党の思想は持ていなかった。しかし人々は比嘉氏を共産党員と見ていたようで、戦後、米国市民権をもらうのになかなか許可してもらえず、長い歳月を要した。そのうち移民局の職員が変わり、牧師であり社会主義についてよく知っている新しい局員が就任したので、比嘉氏の立場を理解してもらうことが出来た。

戦時中に日本人牧師、日本人校長らリーダーはカリフォルニアの収容所に収容された。比嘉氏は日本総領事館との関わりがなかったのでブラックリストから外されていたようだ。終戦直前まで戦地に派遣されていた軍人の親、妻、子供たちを教会に集め宗派を超えて心ひとつに軍人の無事帰還を祈り続けた。

一方、伝道としての伝道要望も強くハワイの島々を回り伝道に努めた。

比嘉氏は戦後、沖縄へ牧師としてバプテスト百年祭に行ったが、短い滞在で沖縄の現状についてはあまり語れない。しかし、あの膨大な基地

からして、世界情勢とも関連して、日本復帰は難しかろうと悲観的だった。しかし意思表示は必要で、自治の拡大を目指すべきと語っていた。

　ワシントンに沖縄の代表部を置き、ハワイ、南米各地の沖縄移民の大きな組織的なバックアップによって、ワシントン政府を動かし、沖縄援助の拡大を図ってはどうか。代表には勇気のある聡明な人物を配置し、さらに日本政府に対してももっと働きかける必要があると語っていた。

　沖縄の若者への希望として、比嘉氏は、自分なりに進歩的思想でいるつもりだが、時代は争えず私は既に過去の人であると述べ以下のように続けた。若者はその時代に沿った思想、十分な批判精神を持たなければならない。宇宙時代の今日、世界はひとつであり、世界の思想を貫いた1人であってほしい。世界を自分の視野で捉え新時代に強く育む。単に空論でなく実社会に調和して、リアリズムの立場をとらなければならない。実際には難しいことで、しっかりしないと時代主義者になってしまう恐れがある。新時代を乗り切り、時代と共に成長する人でなければならない。自分の殻を打ち破って広い視野と強い信念を持った責任感のある若者であってほしい。古い時代の人はいくら権威があるようなことを言っても古い人はすでに過去の人である。

　ドイツの哲学者の言葉を引用すれば、今とここことをよく認識し、いまを貫く思想が大事である。

　ウト夫人（旧姓山口）との間に4人の子供。長男は医学博士で東京で開業、次男はホノルルで開業、三男は戦死、4男は農学博士でワシントンで農務省に勤務。秀才一家。

2. 戦後沖縄救援活動のリーダー

保険・金融業界の重鎮
安里貞雄

　安里貞雄氏は宜野湾村普天間の出身。ホノルル市で安里保険事務所を経営する傍ら、金融関係5社の取締役を務め経済界で活躍している。保険契約高の優秀な成績が高く評価され、世界的に有名なカナダサン生命保険会社から終身会員に選ばれた。

　安里氏は、今日の基盤を築くまでに大変な苦労を積み重ねてきた。普天間の小学校を卒業した13歳の年に嘉手納中学へ合格していたが父親の呼び寄せで進学を断念し、ハワイへ移住した。父親が安里氏に進学を断念させハワイに呼び寄せたのは、当時、国際情勢が悪化しつつあり徴兵制度から逃れさせるためであったようだ。

　安里氏は1910年に来布し、ハワイ島で水くみなどの手伝いをしていた。16歳までは義務教育なので、警察から勧告され、ホノルル市の中学、イオラニスクールに入学した。砂糖きび耕地でのアルバイトで学資を稼ぎ中学を卒業した。当時、ハワイの中学は日本の教育制度を取り入れたもので、この中学から多くの人材を輩出した。

　当時の中学生の中には他府県人による沖縄人蔑視が強く、沖縄の学生は大いに発奮して、他府県学生に負けるものかと20人ばかりで沖縄学生会を結成した。沖縄の学生が他府県の学生に対し正々堂々と実力で勝負するために弁論クラブを結成した。現在、国立墓地になっているホノルル市内を眼下に見下ろすパンチ・ボールで毎日弁論、討論の練習をした。

　安里氏の信念は、人には頼らない、自力で自分を磨く、だった。中学卒業までの学資は一切自分でアルバイトして稼いだ。ところが、日本に帰ろうと思い学校をやめ、1年カウアイ島の砂糖きび耕地で働き、さら

に2年、医者の家で働いた。その後ホノルルの日本総領事館で働きながら学業を続け中学を卒業した。領事館での仕事は安里氏の人格形成に大きな礎となった。安里氏は人間には劣等感がつきまとう。領事館で働いている間に色々な角度から人を見る目が培われた。偉い人も、同じ人間だとの印象を強く受けた。

学校卒業後に請負会社で会計をしていたが、その後、銀行に就職した。沖縄で幼馴染みでハワイ島の親戚宅に沖縄から移住してきたよし子夫人と結婚した。子供ができたので、銀行の給料だけでは生活が厳しかった。夜間の学校で珠算と会計を教えた。もっと収入を得ようと保険業へ移った。当時、保険業は草分け時代で保険勧誘は容易ではなかった。幾多の困難を乗り越え、政府から保険業の認可を得て独立して業務を始めた。安里氏のモットーは、正直で寛容な精神を持ち、人の良い面をみ、人の言うことを善意に解釈する、人への信頼であった。

1948年には、戦後沖縄の救援運動のリーダーとして、廃墟と化した沖縄へ救援物資、衣類、医薬品、豚、ヤギなどを送った。終戦間もない頃で民間団体が物的援助をすることはまだ許されていなかった。ハワイでは日本の勝利を信じている勝ち組がいて救済運動に時折、激しい邪魔が入った。しかし、それに負けず、安里氏らは懸命の救援運動を続けた。

沖縄戦で命を賭して沖縄県民の救出に取り組んでいた陸軍1等兵の比嘉太郎氏から安里氏に届く沖縄戦場報告を詳細に分析しつつ沖縄救援運動を進めた。

一方、ハワイ経済クラブの創設者としても活躍した。経済クラブ発足の目的は、ハワイ経済の研究にあったが、その裏には他府県人と沖縄県人との結びつきをよくしたいとの思いもあった。

安里氏は1960年に沖縄県人会長に就任、会員相互の連携と県人会発展に多大の貢献をした。

安里氏には私自身、比嘉太郎氏への紹介をいただくなど大変懇意にさせていただき、ハワイ滞在中お世話になった。

安里氏は1955年と1960年の2回沖縄を訪問している。米軍政下の沖

縄への印象として、2週間の短い沖縄滞在だったので多くは語れないと言いながらも以下のように述べた。「沖縄はいずれ日本に復帰する。アメリカ統治下で地位を利用し、経済基盤を築くことが大事。アメリカにも欠点はあろうが、うまく利用し沖縄が経済的にも精神的にも向上するよう全力を尽くしてほしい。沖縄の人は内地の人に対し劣等感を持っているようだが、そうであってはならない。沖縄の人は勇気ある民族だ。かつては、ジャワ、スマトラまで貿易をした。内地人であれ、アメリカ人であれ、上には上があり下には下がある。人間はみな同じだ。

　これまで沖縄を表面的にしか見ていないので早い時期に沖縄を再度訪問し、沖縄の現状を把握し、沖縄のために何が出来るか検討し、社会福祉で何か役立ちたい。人間には精神的に充実した生活が肝要である。物質的に恵まれた生活をしても精神面が伴わなければ人間的価値が薄れる。沖縄を含め日本の金持ちの中には芸者の話は上手だが、教養の話になると中身の薄い人がいると聞く。人間にとって人格を高めることが重要だ。世の成功者は金持でなく、その人の人間的生き方にあるとされている。その点、私は牧師を尊敬する。」

　クリスチャン、55歳、よし子夫人（旧姓小波蔵）と子供7人

中央、安里貞雄氏夫妻、両端、仲地政夫氏夫妻と長女の真樹ちゃん
アラモアナ ショッピングセンター、1963年

3. 沖縄へ豚輸送、園芸業界で活躍

園芸家
渡名喜元美

渡名喜元美氏は 1904 年に佐敷村伊原で生れた。出生前に父親はハワイへ渡り 6 歳まで母と沖縄で暮らした。その後、母は父の呼び寄せでハワイへ移住したので、小学校卒業まで叔父の家で育てられた。小学校 5 年生から中学進学をめざし受験勉強をしていた。経済的に恵まれていなかったので周囲からは師範学校に進学し、先生になって早く稼いではとの勧めもあった。小学校 6 年卒業後、13 歳の時、父母の呼び寄せでハワイへ移住した。

ハワイに来てマウイ島プウネネの私立学校に入学した。渡名喜氏は沖縄から来たばかりで英語が分からずベビークラス（幼稚園クラス）に入れられた。当時、日本からの呼び寄せの子は市民権がなかったので公立学校には入れなかった。

父母はマウイ島の砂糖きび耕地で働いていたが賃金が安く、渡名喜氏の学費を出してやるだけの収入はなかった。渡名喜氏は今帰仁村出身の古波津医師の家で小使いとして働きながら公立学校へ通うようになった。公立学校で全教科を学んだが、あまり難しくなかったので英語だけに集中した。

卒業後、高校進学のため 1920 年にホノルルへ移った。父母の耕地生活の苦しさを見かねて少しでも良い職業に就きたいと思いホノルルに出た。メッセンジャーボーイ、白人宅でのコックなどのアルバイトをしながら高校生活を続けた。語学力が乏しく高校生になって本を読んでも、何を読んでいるのか分からないほど大変苦労した。

父母の耕地での金銭的な苦しい生活を見かねて高校を休学して 1 年間働いたが、大した収入にならなかった。再度アルバイトをしながら学業

を続け 1928 年にマッキンレー高校を卒業した。さらに進学を志し自力でハワイ大学農学科への進学を決意し、入学した。大学進学の大きな動機は、当時、他府県人の沖縄県人蔑視は激しく、沖縄県人を見ると「ブタケンケン」と軽蔑していたことへの反発が大きかった。

　他府県人に負けないよう一生懸命勉強し、沖縄 1 世の社会的地位向上を図ろうと決意した。もちろん、沖縄県人が軽蔑される理由がないでもなかった。当時は、無学者が多く、特に女性の場合は甚だしく、沖縄の人は正月になって他府県人から新年の挨拶をされても応えることすらできなかった。同じ日本人でも他府県人は上であるかのように見ていた。

　1928 年ごろの大学生数は少なく、ハワイ大学の全学生数が約 1000 人だった。渡名喜氏は大学の 4 年間、白人宅に住み込み庭の草刈りなど 1 日 4 〜 5 時間働き学資を稼いだ。卒業の年は、世界的に経済恐慌の年で、給料は安く、試験場からの採用依頼があったが断った。イチゴ作りが有望と見て、土地を借りてイチゴ作りを始めた。約 1 万坪の土地にイチゴを栽培したが、干ばつに見舞われ完全に失敗した。この仕事をやめようと決心したところ父から男ならもう一度やってみろと励まされ、再びイチゴ作りを始めた。残念ながら、再度干ばつで何千ドルもの借金を背負うことになった。

　この時期、ハワイでは、ルーズベルト大統領の失業対策事業で、各家庭の庭を利用して野菜栽培が奨励されていた。その指導官の仕事にありつき約 2 年、その仕事を続けた。その後、金融業、保険業の仕事を終戦まで続け、1954 年からホノルルの裏側に 12000 坪の土地を求め園芸を始めた。それ以来、園芸業に専念し、今ではハワイのレイの原料として多くの需要に応えている。

　渡名喜氏は、戦後の沖縄の窮状を知り、いち早く救援運動に乗り出した。1948 年には 550 頭の豚を沖縄に運んだ 7 人の功労者の 1 人である。28 日間かけての太平洋横断の豚輸送は大変な苦労が伴なった。沖縄本島が見えた時は豚輸送の同僚と共に無事豚を送り届けることが出来る喜びの嬉し涙が止まらなかった。

　渡名喜氏は1世では数少ない大学卒だが、戦後帰化法が出来るまで公職につけず苦労することが多かった。故郷沖縄への思いは極めて熱い。

　渡名喜氏は1963年までに、1948年と1961年の2回沖縄を訪問した。米軍施政下の沖縄への助言として、農業の充実、機械による合理化、花卉園芸の東京、大阪市場への売り込みなど販路拡大を図るべきと語っていた。

　しずえ夫人（旧姓山内）は150人の看護婦を有するクワキニ病院の看護婦長として活躍。子供は13歳の長男1人。

1950年ごろ渡名喜元美兄弟はガソリンスタンド「カバラニサービス」を開業。
左から元次郎（五男）、元忠（四男）、元美（長男）、元助（次男）、父元冨、元太郎（三男）
（照屋文雄氏提供）

4. 沖縄へ豚輸送、レストラン業界のリーダー

レストラン経営
安慶名良信

　安慶名良信氏は具志川村具志川の出身。ハワイで生まれ 11 カ月の頃、父が病気で父母と 3 人の兄弟で沖縄に来た。間もなく父は他界。母は 1 人で 3 人の子を育てる厳しい生活が始まった。

　安慶名氏は、高等小学校を卒業する時、学力に自信があり進学したかったが、金のない母に無理は言えず、進学を断念した。

　安慶名氏に海外雄飛の夢を与えたのは、当時、海軍中将だった漢那憲和氏の講演会「海外雄飛」だった。漢那氏は講演の中で、「沖縄内でいくら儲けても沖縄の富にならない。沖縄の富を増やすには海外から富を持ち込まなければならない。それには若者が海外に雄飛し貧しい沖縄を救うことだ」と説いた。人々から尊敬されている漢那氏の講演を聴き、安慶名氏は限りない感動を覚えた。子供心に海外雄飛を固く決意した。

　1929 年、16 歳の時に伯母を頼って生れ故郷のハワイへ戻った。ところが、その年は世界経済恐慌の真っただ中で仕事が見つからず 3 カ月が過ぎた。幸い、沖縄出身の島袋氏の養豚業を手伝うことになつた。その後、英語を勉強するため夜学に通うことを思いたち、ホノルル市内のレストランで皿洗いの仕事をしながら勉強を続けた。

　年若い安慶名少年は遠く故郷を離れていると、沖縄の母親、兄弟への思いが募り、1,000 ドル貯めたら沖縄に帰ろうと貯金に励んだ。その頃の月給が 30 〜 40 ドルだった。1,000 ドルは大金だったが、努力を続けた。ところが不幸にも、急性盲腸炎にかかり、努力して貯めた金は病院代に使い果たしてしまった。この困難を乗り越え勇気を持って前へ進もうと決意し、更に励んだ。

　幾多の困難を乗り越え、レストランを経営する実業家としての地位を

築くようになった。安慶名氏はどんな忙しい中でも本を読むことを忘れず、本の一字一句に人生の道しるべを見出した。読みかけの26冊の愛読書が自宅の書棚に並んでいた。国際観光都市ワイキキのど真ん中に「ブルーオーシャン」のレストランを経営し、世界各国からの観光客に利用いただいていることに無上の喜びを覚えると語っていた。レストランでは白人、東洋系の職人14〜5人が働いていた。相互の信頼は厚く、安慶名氏は職人にレストランを任せ夫婦で世界一周の旅に出たこともあり、その時の売り上げが多く感激したと語っていた。

安慶名氏は、郷里沖縄への愛は強く、廃墟と化した戦後の沖縄救援のため1948年に550頭の豚を沖縄に送り届けた1人である。豚購入の費用はハワイ沖縄県人3万人の同胞だけでなく各国の人々の献金で購入した豚だった。

太平洋の荒波を乗り越えての輸送には大変な苦労が伴った。船出して大しけにあい、豚小屋はめちゃめちゃに壊れ、同胞の献金も水の泡かと大きなショックを受け、涙した。港へ戻り、豚小屋を作りなおし、太平洋横断の無事を祈りつつ航海を続けた。太平洋を越えての豚輸送は並大抵のことではなかった。沖縄本島が見えた時には全員涙を流して喜び合った。

豚を運んできた安慶名氏らは、沖縄の現状をつぶさに調べ、次の救援活動へと乗り出すこととした。

安慶名氏は1963年4月14日発行の自伝『私の微かな力』の中で沖縄への550頭の豚輸送の体験を詳細に記述している。

豚輸送を含め安慶名氏は、1963年までに6回沖縄を訪問している。安慶名氏は郷土愛に燃え、引き続き郷土のために尽くしたいとの熱い思いを次のように語っていた。

沖縄観光の将来について、外国人観光客は東京、大阪を回って、沖縄に寄らずに香港に行ってしまうので、もっと考える必要がある。香港は物価も安い。

米国統治下の沖縄の将来については、日本復帰に賛成だ。今は無理な

のでアメリカから学ぶべきだ。日本復帰しても誇れる日本国民になること
とを期待したい。戦前のようであってはならない。私は世界を旅してい
るが、日本人は各国で信用されている。日本の発展は我々海外の日系人
にも大きな影響力を持つ。沖縄は表面的には復興しているが、まずしい
人も多く資本家はもっと支援の手を差し伸べるべきである。

　安慶名氏は具志川村具志川の貧しい人々を長期にわたり支援したい。
自分の生命保険もあるので援助を長期に続けたい。既に何人かの人に援
助したが、私より困っている人がいるのでと辞退した人もいる。その断っ
た人の真心に触れ感動した。

　51歳。千代夫人と子供2人。

550頭の豚輸送の7人と連合救済会役員2人
前列左から、仲間牛吉、山城義雄、宮里昌平、渡名喜元美、上江洲易男
後列左から、仲嶺真助（救済会広報）、金城善助（救済会事務局長）、
島袋眞栄、安慶名良信、1948年

5. 沖縄移民の心癒す「慈光園」

開教師として活躍
山里慈海

　山里慈海氏は久米島具志川村山里出身、1911 年生まれ。具志川小学校から一中に進学し 1929 年に卒業。その頃の中学は学業面で厳しく、落第生も多かった。同期には松川國男氏や、久松宗悦氏らがいた。中学卒業の頃は沖縄はソテツ地獄の不景気で、中学生で燃えるような希望を持った者は少ない時代だった。山里氏は父の勧めもあって、師範二部に受験し優秀な成績で合格した。ところが、厳しい身体検査の結果、トラコーマを理由に不合格となった。1 年ほど、久米島で浪人生活をしていたが、中学時代から希望していたハワイ行きを再び考えるようになった。

　当時は日本人移民禁止法により、ハワイ移民は許可されていなかった。開教師だけが入国を許可されていた。京都の中央仏教学校で 1 年学び開教師の免状を取得し、1 年那覇の大典寺で奉職した。山里氏は家庭に経済的ゆとりがあれば大学へ進学したかった。那覇から東京に出て日米ホームで昼は働きながら 3 年間、日本大学の宗教科で学びながらハワイ行きの日を待った。開教師の免状を取得して 2 年後にしか海外へ行けなかった。

　1934 年、24 歳の年にハワイへ移住した。その頃、日本では軍国主義の重圧を感じる時代だった。ハワイへ来て伸び伸びとしたリンカーン精神の民主主義の良さを味わうことが出来、ハワイに永住したいと思った。

　本願寺の開教師として働きながら、日本語学校で教え、教頭になった。日本語学校が盛んな頃で、日本の教育制度を採用し、中学生は制服制帽で、実に威張ったものだった。日本語の最も盛んな時代だったので、山里氏は本願寺の派遣で上京し、日大で 3 年間国文学を学び、再びハワイへ戻った。

　当時山里氏が東京滞在中に、ハワイの叔父吉盛氏は一般の人々に仏教をもっと身近に感じさせ普及したいとの思いから、本願寺を離れて、慈光園のお寺を建立していた。1941年吉盛氏が日本に帰ることになり、山里氏が慈光園を引き継いだ。このお寺は特に沖縄出身との結びつきが強く信徒の99％が沖縄出身者であった。

　特に会員の中には日系人の中で第一線のリーダーとして活躍している1世、2世が多く、山里氏との個人的な人間関係が大きかった。山里氏は宗教家としての職業だけでなく、長年にわたり培った豊富な学識、経験で人々の相談に応じてきた。山里氏の良心的、人間的な触れ合い、温かみが信頼を高める鍵となった。ハワイ沖縄県人社会は慈光園を中心に活動が展開され、慈光園は沖縄県人の心の拠り所となっている。

　山里氏は開教師で指導者であったため、戦時中はアメリカ本国の収容所に収容され4年間に4、5回も収容所を移動させられた。収容所の中でも伝道を行い、機関誌を発行して収容されている人々の精神的明るさを取り戻す努力をした。

　終戦になりハワイに戻る頃には、すでに沖縄救援について友人たちと話し合っていた。その中で、100万ドルの沖縄開発会社の構想を練っていた。大学、金融機関、報道機関設置など膨大な計画であった。ハワイに戻ってきたら慈光園では既に、宮里昌平氏らが中心になって沖縄救援運動を開始し、衣類はじめ各種見舞い品を募集していた。沖縄出身者がこぞって救援運動に関わるようになり、沖縄救済厚生会、沖縄救済連合会、沖縄救済医療連盟、デプタ会など各種救援会が出来た。

　山里氏は周知文による宣伝活動に全力を傾注した。当時は沖縄ブームとなり沖縄の人だけでなくハワイの多くの人々が協力し見舞い品を集めた。各種救援会が競争し合う様相を呈したが、沖縄救援のためには大きくプラスになった。山里氏は救援活動の疲労などもあり、肺を患い3年間入院し、構想していた沖縄開発会社など大規模な計画は具体化しなかった。

　山里氏は1960年の沖縄ハワイ移民60周年事業として1958年に沖縄

連合会に次の事業を提起した。

(1) 大々的な記念事業を実施する。(2) 当山久三氏の銅像を建立する。
(3) 沖縄の移民功労者を表彰する。(4) 記念会館を建設する。(5) 日英
両語の移民史を編集する。沖縄連合会ではこのような提起を評価しつつ
も当時の組織力から祝賀会だけの実施となった。

しかし山里氏はこれらの提起を将来的に実施したいと思い続けた。慈
光園の敷地が道路拡張により狭隘となり移転せざるを得なくなった。そ
こで山里氏は、慈光園の会員を中心に沖縄記念会館建設の構想を再度
練った。

慈光園関係者で第一線で活躍しているリーダーの方々に構想案を開示
したところ賛成を得て 1961 年に建設委員会が発足し具体案を練ること
になった。

検討は矢継ぎ早に進められ、40 万ドルの多額の費用を要する 2 階建
て 700 人収容のホールを有するお寺と沖縄会館の建設を進め、1964 年 7
月に完成する計画を決定した。

山里氏の構想には、沖縄会館の中に沖縄の芸術品、沖縄資料など展示
し、広くハワイの人々に開放し沖縄理解を深めたいとの思いがあった。

構想の沖縄会館は、1965 年に慈光園に併設して完成し、ハワイ沖縄
移民 65 周年の式典、祝賀会が、同会館で盛大に開催された。

山里氏は、1957 年に沖縄での第 12 回沖縄戦没者慰霊祭に開教師とし
て参列した。山里氏は沖縄について、戦後の沖縄はいくらか良くなった
が、沖縄を単に沖縄として見るのでなく、世界の動きの中で捉える必要
がある。戦前と比較して良くなったとの評価でなく世界全体として発展
しつつあり歴史的歩みがある。東南アジアの低い国との比較でなく他県
並みに 1 日も早く追いつくことだ、と述べた。ムーア長官がハワイへ寄っ
た折、沖縄出身の有識者数人と懇談の場があった。その折、山里氏は、
沖縄で最も大きな組織力を有する教職員をまま子扱いするのはどうかと
思うと発言した。つまり、沖縄の社会における教職員への信頼はアメリ
カや、日本本土とは違う。戦前、沖縄に大学がなかったので秀才は殆ど

師範学校で学んだ。その人々が今の沖縄の教職員リーダーだ。教職員に対する見方を変え、もっと優遇すべきと述べた。

　山里氏の意見を聞いた長官は、大変いい意見だと述べ改善策に乗り出したようだ。山里氏は後日、教職員から感謝されたとのこと。また、山里氏は、「最近の沖縄の親たちの教育熱は実に熱い。故郷の久米島からも多くの大学進学者を出している。国際社会で活躍できる人材を育成し、沖縄問題を国際舞台で論じられるようになってほしい。

　沖縄の指導者に言いたいことは、米軍基地の変則経済から脱却する努力をしてほしい。基地のお陰で食えると言う人もいるようだが、基地は変態であり婦女子の犠牲は避けられない。アメリカの為政者に臨みたいことは、昔から一番強い城はそこの住民から支持されることだと云われている。アメリカが沖縄の人々から支持されるようになってほしい。私はアメリカを愛するが故に、沖縄をアメリカの良心を見せるサンプルにしてほしいと思う。」

　山里氏は、郷土愛に燃え沖縄問題の解決、予算増大を図るにはワシントンに沖縄ロビーを設置し、強力に米政府と折衝する必要があると説いていた。

ハワイ沖縄移民が心の支えとしてきた慈光園でハワイ捕虜沖縄出身戦没者慰霊祭を実施。人間国宝・照喜名朝一先生（前列中央）、村田定爾ハワイ支部長と会員による鎮魂の三線演奏、2017年6月4日

6. 日露戦争参戦後にハワイで活躍

実業の布哇社長
当山哲夫

　当山哲夫氏は勝連村伊計出身。普天間にあった師範補修科で学んでいたとき20歳で招集され、第6師団の隊員として日露戦争に参戦。激戦地で負傷し野戦病院から内地の病院に移送された。退院後再び前線へ、凱旋で除隊となった。明治35年から39年までの4年間兵役。奉天の戦いの後に除隊となり公務員になろうと思い巡査の試験を受けたが残念ながら不合格だった。それがかえって幸運をもたらした。海外への夢を求めハワイ移民を希望した。

　当時の伊計島の状況は、当山氏の家は割と裕福で、それほどの苦労はなかった。大半の家はみそ汁とソテツを常食としていたり、税金が払えずヤギや豚が抵当として取り上げられていた。中には食べる芋の皮すらなく、芋を食べている子供を見て指をくわえ木の蔭から眺めている子供たちもいた。

　このみじめな島から逃れ、海外で大きな仕事をしたいと思い、明治39年24歳の時にハワイ8島の中で最も北にあり、人の嫌がるカウアイ島のケタハに移住した。草を刈ったり砂糖きびを切ったりの仕事をしていたが、雇い主から人夫を集めることが出来れば月々20ドル払うと言われ、島を回って人集めをした。

　当時どの耕地でも求人難で競争が激しく求人は困難を極めた。そこで思いついたのが、文書による宣伝を考え、暑さと仕事の厳しさで嫌がられていたカウアイ島を大いに宣伝した。お陰で次から次へとカウアイ島に人が集まり、その数400人にも達し、そこで初めて沖縄県人会を組織し、当山氏が会長に就任した。

　当時、人夫の1カ月の給与が14ドルで、当山氏の20ドルのポストは

狙われ、対立するようになった。そこを去り、ぼろ船を捜し漁をはじめたが運悪く嵐に遭い、船は大破し浜に打ち挙げられた。

　ホノルルに戻り、それから友人7、8人でハワイ島へわたり、砂糖きび耕地で草刈りをした。仕事の辛さから昼食時間にこっそり逃げ出し、同島のパウルイにあった宮崎商店に勤め行商をするようになった。商品を届けたり、商品の注文取りをした。

　注文先に行くと、どこでも仕事から帰った人々が当山氏を引き止め、日露戦争の実戦論を聴くことを楽しみにしていた。当山氏本人も戦況報告が好きだった。

　人々の当山氏への商品注文は増え、宮崎商店は繁盛した。当山氏は他の商店から憎まれ口を言われるようになった。

　そのうち、沖縄人蔑視の問題が各耕地で起こった。中には娘が沖縄の青年と結婚し、親が自殺した例もあった。あちらこちらの移住地で沖縄人追い出しの動きがあり、集団の対立があった。そこで、当山氏は喧嘩をして同じ日本人に抗議しても始まらないと思い『実業の布哇』を発行して人々の認識を改めたいと考えた。

　当時『実業の布哇』で最も大きく取り上げたのは宮村事件であった。それは、某県の青年が沖縄県出身の女性と結婚した。ところが親の大反対で、薬局を経営していた親は、そこの看護婦を息子にさし向け、嫁の沖縄の女性は肺病と嘘の診断書を書き、沖縄に帰すことにした。これを知った沖縄の人々がたち上がった。

　1912年7月に創刊した『実業の布哇』は日米戦中休刊にした。当山氏は、4年間米本土の収容所に収容されていたが、息子がアメリカ軍として参戦していたので釈放された。米本国滞在中に62歳でネブラスカ州のユニオン大学で1年半学んだ。

　17、18歳の学生と学んでいたので学生たちは当山氏を教授と思っていたようだが、学生と知って「62歳君」と愛称で呼ぶようになっていた。

　戦後ハワイに戻って再び出版事業を開始した。当山氏が言論界に入ったのは、1909年の全砂糖きび耕地におけるストライキであった。この

ストライキは、男女混浴の廃止、賃上げであった。当山氏はストライキの前線に立って支援した。時にはブローカーのストライキぶち壊しに悩まされ、警官に逮捕されたこともあった。

　過去の移民史上いろいろなことがあったが、絶えず正義の味方となってどんなところでも勇気を持って立ち向かった。自分の強い気力を培ってくれたのは、厳しい軍律の中で鍛えられた精神とクリスチャン精神であった。当山氏は幼い頃に見た沖縄の子供たちを救いたいと思い、ハワイに沖縄子供の会を作り、主として沖縄の孤児を対象にハワイの子供たちとの友愛を図ると共に、毎年1500ドルの金を関係団体に送っている。

　当山氏の貧しい沖縄をよくしたいとの思いは極めて強い。

　沖縄の日本復帰に賛成だ。しかし復帰延期論者で、沖縄はまず経済基盤確立が肝要だと考えている。「米国は自国を守るために沖縄に前線基地を配置しているが領土的野心はない。人間にとって平和は理想である。しかし、人間に欲望、名誉心、利己心がある限り平和は望めない。人間は生きるために競争し、友人同士でも競争の中で生きている。生きると云うことは厳しく難しいものである。個々人がしっかりした生活力を持たないと親兄弟の中でもうまくいかない。個々人が強く生きることは民族も豊かになる。

　沖縄の人々は国際語である英語力を身につけ国際経済界に仲間入りできるだけの実力を培ってほしい。自立できるようになってから日本に復帰しても遅くはない。自分を作れ、吹けば飛ぶような人間ではだめだ。人を愛し、神を敬い、みんなが幸福になれることを望んでいる。」

　当山氏は1960年日系人の中から初めて模範市民に選ばれた。

　81歳、80年回顧録執筆中であった。

7. 時代に翻弄されたマスコミ界のリーダー

洋園時報社長
金城珍栄

　金城珍栄氏は 1899 年 12 月、那覇市東町生まれ。那覇商業学校 11 期生で、同期に沖縄タイムスの豊平良顕氏がいる。父親は 1900 年の第 1 回移民の団長としてハワイへ。金城氏は父親のハワイ移民後 2 〜 3 か月後に生まれ、19 歳まで母親と沖縄で暮らした。父親は母親 1 人の呼び寄せを希望し、子供連れでの来布は生活に困るからと賛成しなかった。

　その後、父は再婚し、ハワイからの送金もなく、金城氏は母親と貧しい生活をした。中学に進学するだけの経済力はなかったが、成績が良かったので、力試しに那覇商業学校を受験した。合格したので母親に相談し学業を続けることにした。経済力がないので保証人を必要とし、家主の城間氏が保証人を引き受け入学できた。友人たちは金持ちが多かった。金城氏は洋服を人から借りたり、ぼろ靴を履いて学校へ通った。

　当時の中学生は辻が近かったので、よく遊びに行った。金城氏は、時折、友人から辻へ誘われたが金もないし、友人たちが金を出すからと勧めてくれたが、母親の苦労や、副級長をしていたので、責任感から辻へは行かなかった。母は毎日かますなどを買い集め、それを売って細々と生計を立てていた。食事を作り母親の仕事帰りを待つこともあった。一時は体を壊し休学寸前にあったが、なんとか休まず良い成績で卒業した。

　アルバイトをしてでも高等商業へ進学したいと思っていた矢先、19年振りに父親がハワイから戻り対面した。父は再婚していたが、女性は弱く母は父に言われるまま金城氏にハワイ行きを勧めた。金城氏は進学の意欲に燃えていたので、ハワイ行きの条件として父親に学校へ行かせてもらうことを約束した。

　欧州大戦後の砂糖景気のいい 1918 年にハワイに移住した。父親には

最初から金城氏を学校へ行かす気はなかったようで、景気がいいのでしばらく砂糖きび耕地で働けと、畑仕事したことのない金城氏を労働に従事させた。金城氏は沖縄での約束と違うとだいぶ憤慨したが、結局勧められるままに働いた。仕事の辛さに故郷を偲び、母を思い何度か涙したこともあった。

働いて1カ月経過し学校へ行けるいくらかの金を貯えた。父親には景気がいい時に働けと働くことを強いられ毎晩のように父親と口論した。義母に慰められ労働をしたこともないのに3カ月も働き、手に豆が出来、痛さに耐えながら働いた。

遂に父親の家を飛び出し、ヤードボーイ、ホテルボーイなどをしてイオラニハイスクールへ通った。その間にも父から収入の一部を家に入れるよう請求があり、それ相当の仕事を探さねばならなかった。午前2時、3時まで菓子工場で働き昼は学校へ通った。職場での理解は得られたが、夜の仕事の疲労で結局、学業継続は出来なかった。

その後、パイナップル耕地で働いたが重労働で血の小便をしたこともあった。その仕事は3カ月と続かなかった。その後、首里出身の物産会社で1年働き、太平洋銀行に4年勤めた。金城氏は学歴もあり仕事を探すことは難しいことではなかったが、コネがないと良い仕事には就けなかった。

その後、オアフ島の貯金会社に勤務したが、会社が1年で倒産した。その頃、洋園時報が廃業寸前にあり、比嘉静観氏らの勧めで、それを引き受けるようになった。洋園時報は労働者を擁護するための機関誌として労働者から資金を集め発足した週刊紙だった。社長は比嘉静観氏で、金城氏が支配人として洋園時報は労働者を守るため再出発した。支配人の希望者は多かったようだが、金城氏が採用されたのは、失業中だったからとのこと。洋園時報が再出発して間もない頃、マウイ島で「新時代」の週刊紙を発行していた今帰仁出身の新城氏夫妻が洋園時報の発行に加わった。新城氏は左翼系とみられ、共産党と評した人もいた。その頃、金城氏は社長になり、洋園時報の発行を新城氏に任せてあった。新城氏

は社会主義の本を数多く読んでいたので、日本軍閥の台頭を攻撃する記事を掲載した。

　時あたかも日米戦の直前、1939年にハワイにいる日本人はアメリカに忠誠を誓い、日米戦になったら日本軍閥に矛先を向けるべきとの日本軍閥攻撃の記事を満載し何度か発行した。その編集方針に不満だった金城氏は、新城氏と意見が対立し新城氏夫妻に社を辞してもらった。ところが、日本軍閥は社長であった金城氏に共産党の烙印を押していた。

　1939年金城氏が自ら団長を務め、父親を含む20人の日本への観光、郷土訪問の旅へでかけた。横浜上陸と同時に金城氏は横浜水上警察に逮捕された。36日間投獄され取調べを受けた。釈放後に沖縄へ向かったが行く先々で特高につきまとわれ行動を監視された。その後、先にハワイから那覇に帰っていた家族と楽しいひと時を過ごしていた時に那覇署の特高に呼ばれ、29日間那覇署に閉じ込められ取調べを受けた。

　真珠湾攻撃10カ月前に沖縄からハワイへ戻ってきた。再び洋園時報を発行したが、掲載記事はこれまでとは逆に、もし日米戦争が勃発したらアメリカは内部崩壊して負けるであろうと掲載した。日本で投獄され厳しい取り調べを受けたのに、なぜこのような記事を掲載したのか自分でも不可解だったと語っていた。金城氏は社会情勢、日本を視察しての状況から、戦争になるのは間違いないと思い妻子7人を沖縄へ帰した。金城氏自身も沖縄へ帰るつもりだった。

　金城氏は戦時中、日系人リーダーとして収容され米本土で4年間キャンプ生活をさせられた。その間、日本人に対する対応はいたってよかった。多くの日本人は勝つと信じ、白人に反感を抱いていた。そのうち白人から挨拶されると次第に感情が和らいでいった。ハワイで20年余生活したが日本を愛するあまり、アメリカ民主主義の良さを知らず、アメリカ本国で初めてアメリカはいい国だと実感した。1944年米本土からハワイに戻った時は報道の仕事を続けるかどうかで随分迷った。日本では人が1人生まれれば新聞が1部増える、ハワイでは1世が減るにつれ読者も減り、広告価値も減少し、洋園時報もそう長くは続かない。

　1963年に日本人記者50人で記者クラブを設立した。金城氏が会長に就任。ラジオを含む記者の親睦と教養を高める組織とした。

　金城氏は、「アメリカがいい国だから市民権をとらない。市民権があって投票権が伴うがそれ以外は変わらない。私は日本教育を受け日本人であり、表面だけのアメリカ人になりたくない。」

　1963年にハワイと沖縄間の航空路開設で来沖。6年振りの沖縄訪問で、沖縄が発展したこと、米軍と一緒に働いて卑下することはない、若者への期待などを語っていた。アメリカ人と同じ仕事をしていたら処遇を平等にすべきだ。沖縄の若い人への希望は、デモクラシイとはいえ、先輩への尊敬の念を持ってほしい。

　金城氏は不幸にも、沖縄戦で夫人と子供3人を失った苦労人である。今ハワイで娘3人、後妻のハツ子夫人（旧姓呉屋）と幸せな生活を送っている。

金城珍栄氏を囲んで
右から比嘉春潮氏、比嘉良篤氏、瀬長良直氏、當間重剛氏、金城珍栄氏、
島清氏、仲原善忠氏、東京、1963年
『琉文21より』

8. 沖縄へ豚輸送、沖縄の観光展望に助言

観光業

宮里昌平

　宮里昌平氏は、1900年、上本部村浦崎生まれ。上本部小学校を卒業し、貧乏だったので進学はできず、16歳の時に当時盛んだったラサ島の燐鉱で2年余働いた。燐鉱の仕事もあまり見込みがなかったので、19歳の年にハワイにいた父母を頼りにハワイ列島の最も北にあるカウアイ島へ移住した。砂糖きび耕地で2年半働いた。ポルトガル人監督にこき使われ、厳しい労働を強いられた。ハワイに来る前は、ハワイはすばらしいところでハワイへ行ったら楽な仕事をして金儲けができると思ってい

砂糖きび耕地で現場監督の厳しい監視のもとで働く移民の人々。

た。ホノルル港に着いた時、その夢は完全に壊れた。港で働いている人々が貧しい労働者だった。移民局へ馬車で連れて行かれた。カウアイ島からホノルルに出て、約6年間給油所で働いた。元来、人に雇われ仕事をすることが性に合わなかったので、独自の各種事業を試みた。ヒロ市で事業をしたり1928年には家具店を経営したが、折からの不況で廃業した。

その後、預金貸付の外交をしたり、旅行社に勤めたりした。そのうち第二次世界大戦となり、慈光園の山里慈海氏が敵国の日本人指導者として米大陸へ収容されたので、山里氏に代わりお寺を4年間守り続けた。その間いろいろな仏教の本を読み、仏教徒として悟りを開くようになった。そんな縁もあって慈光園の功労者として慈光園建設委員になった。

宮里氏によると世界二次大戦は不幸な出来事であったが、ハワイ日系人にとっては生活基盤を築く大きな礎ともなった。その中でも沖縄出身者は目覚ましい発展を遂げた。戦争前に養鶏、養豚業の7割がハワイ沖縄移民の経営で、物価の上昇により高収入を得た。また、レストラン業の7割が沖縄県人の経営で繁盛し多額の収入を得た。現在、沖縄出身者に高等教育を受けた者が多いのは、その人たちが出征し、復員後に政府から高等教育を受ける奨学資金が与えられたからである。また、若者の出征に際し多額の保険金が掛けられ、戦死した子供の保険金が親元に入り、それを利用して事業を始めた。

戦後、宮里氏は慈光園で沖縄戦で灰燼に帰した郷土沖縄の救援活動に取り組み、各種団体が慈光園を会場として多くの支援物資を集積し沖縄へ送る大きな役割を果たした。1948年には自ら率先して、550頭の豚を沖縄に送り届ける一員として豚輸送に参加した。太平洋上で幾多の苦難と闘いながら、無事豚を沖縄に送り届けた。その折、当時の志喜屋孝信知事や松岡政保工務部長らと会い、戦後沖縄の復興について論じ合った。

宮里氏は沖縄の平和観音像の建設に真っ先に協力しようと蔭ながら日本本土の仏教団体を通して本土での委員会を組織させるとともに自らは、ハワイで寄付金を募り約2000ドルを送った。

　観光業に関わり充実感を覚えている。ハワイには観光団を世話する団体が50社以上もある。宮里氏はこれまで日本本土、沖縄へと20団体約500人を送った。個人旅行を数えると相当数にのぼる。1964年の8月にはニューヨーク、ヨーロッパ、沖縄、日本へと世界旅行団の派遣を計画している。

　宮里氏の最近の沖縄訪問は1963年5月で、これまで沖縄へは20回ばかり訪問した。そのたびに、多くの沖縄の人々に沖縄発展への多くの次のような提言をした。「沖縄の政府には間違ったところが沢山あるように思う。具体的には、空港ターミナル、中城公園、ビーチなど個人の経営管理になっているが、これらは琉球政府で管理すべきである。沖縄へ行って、これが沖縄だと紹介するものがない。首里城跡地に大学が設置されているが大学ではなく、首里城公園にすべきだった。大学は創立当初は小さいが、次第に発展するので、どこか別に広大な敷地を選ぶべきだった。沖縄に行くたびに関係者に観光地の沖縄の姿を語っているが発展の形跡が見られない。観光客は内地の素晴らしい観光地を見た後で沖

移民当初、沖縄県人一世の住居風景

縄に立ち寄るが沖縄には見るところがない。日本内地では毎年観光地の改善がされている。

　沖縄は米軍に利用されているので公園の一つや二つ米軍に作らす知恵と勇気が琉球政府要人に必要である。旅館業などは観光客へのきめ細かな対応、自分の客がいなくても観光客との顔つなぎのためにも空港への出迎えなどサービスに努めた方が良い。

　また、若者は積極性と自己主張をし得る意志力を培うべきである。

　沖縄は食べていける経済的生活基盤が必要である。背に腹は代えられぬで、場合によっては、離島を利用し、賭博場を誘致し収入を得る。それによる弊害は、他の面でカバーする。」

　宮里氏は64歳、旧姓具志堅文子夫人と子供5人、孫10人、長男は高校長、次男はハワイ州政府人事課長

首里城跡地に創設の琉球大学全景
宮里氏は、首里城跡地は大学設置でなく首里城公園、
観光地とすべきだったと提言しておられた。　1963年

9. 戦後沖縄救援で大学設置に奔走

元ハワイタイムス編集局長
湧川清栄

　西暦2000年は、ハワイ沖縄移民100周年。その100周年のテーマは「お
かげさまで2000年1世紀のウチナーンチュアロハに架ける橋」となっ
ている。ハワイ沖縄連合会では、一年を通して多彩な記念行事を開催す
るとのことであり、人々の喜びの笑顔が脳裏に浮かんでくる。

　今から37年前の1962年に私は、ハワイ東西センターの奨学生とし
てハワイ大学大学院に留学した。1960年代の日本は、戦後の復興期で、
大学卒の初任給が1万3,600円（1ドル360円）と流行歌にもなった時
代で、ハワイへの観光客などほとんどなかった。ましてや沖縄は、米軍
占領下で戦後の焦土の中から立ち上がりつつある貧しい時代であった。

　当時、沖縄で「ハワイ」という言葉は、豊かさの代名詞であった。実
際にハワイへ行き、初めて見るホノルルの街は、花と緑に彩られた美し
い太平洋の楽園そのものであった。街には車があふれ、家々には自家用
車が所狭しと並んでいた。先進国アメリカ社会の豊かさを実感した。留
学中に私は、多くの沖縄県系人の家庭から招待を受け、お世話になった。

　ハワイ社会に触れるにつれ、沖縄県系人の各分野への人材輩出とリー
ダーとしての活躍に深い感動を覚えた。仲嶺眞助氏が沖縄県系人から初
めて日系人会長に選出され、沖縄県系人のステイタスがいっそう高まっ
た時代でもあった。

　ハワイ沖縄移民60年余の歴史の中で、沖縄県系人は、ハワイ社会に
強固な基盤を築いており、私は、その背景に興味を覚え、時間をみては、
多くの1世の方々を訪ねそれぞれの歩みとハワイ沖縄移民の足跡をたど
るインタビューを行った。インタビューで出会ったお一人が、湧川清栄
氏であった。

　それ以降、30年余にわたって、私は、湧川氏をはじめ、多くのハワイの方々との絆を深めてきた。今では、私にとって、ハワイは、第二の古里であり、ハワイへ常に熱い思いを寄せている。

ハワイ県人の沖縄救援運動

　ハワイ沖縄移民は、初期の苛酷な砂糖きび耕地労働に始まり、今日までの100年間に輝かしい移民の歴史を築いてこられた。また、戦前から戦後にかけて経済的に母県沖縄を大きく支えてこられた。特に戦後は、焦土と化した「郷土沖縄の同胞を救え」を合言葉に大々的な沖縄救援運動を展開し、沖縄へ医薬品、山羊、豚などを送り、沖縄の復興に大きく貢献してこられた。郷里を遠く離れ、ハワイから沖縄に寄せる1世の熱い思いは、今や着実に2世、3世、4世へと受け継がれ、ハワイと沖縄には、大きな交流の架け橋が築かれている。

　1960年代のハワイ大学では、沖縄研究が盛んであった。沖縄文庫が大学図書館から独立して設置され、阪巻駿三教授が管理されていた。ハワイ東西センターも沖縄研究に深い関心を寄せ、高等研究部では、日本本土、沖縄から著名な学者、研究家を招き、沖縄研究を支援していた。1962年から1964年には、琉球大学の仲宗根政善教授、京都大学の小葉田淳教授、比嘉春潮先生、仲原善忠先生が来布され、沖縄研究に専念しておられた。沖縄歴史研究の博士課程では、松田貢氏、崎原貢氏が勉学に励んでおられた。

　ハワイでの私の1世へのインタビューは、1965年に「ハワイ移民65周年を祝う」と題し、『沖縄タイムス』に7回にわたって連載し、ハワイ移民の初期の苛酷な時代から輝かしい基盤を築くまでの足跡を詳しく紹介した。

　インタビューの中で、私が特に感動を覚えたのは、戦後間もなく、ハワイ沖縄県系人が総力をあげて取り組んだ沖縄救援運動であった。沖縄県系人の中にも「勝った組」がいて、なぜ戦争に勝っている日本に救援物資を送る必要があるのかとの強い抗議もある中での運動だったとのこと。

　ここで、沖縄救援運動の一部要点を紹介したい。

　太平洋戦争中にハワイの多くの日系人指導者は、米本国へ連行され、収容された。収容の身を解かれた沖縄県系人は郷土沖縄の同胞の安否に思いを馳せ、沖縄救援運動に立ち上がった。

　比嘉太郎氏は、2世部隊の一員としてイタリア戦線に参加し、イタリアの惨状を見てきていた。それだけに、ひとりでも多くの沖縄同胞を救いたいとの思いから、志願して沖縄戦線に参加した。比嘉氏は、沖縄の悲惨な状況をつぶさに記録して、安里貞雄氏（保険業）に報告した。この情報は、豊平良金氏（ハワイタイムス編集長）を通して、邦字新聞の『ハワイタイムス』に大々的に報道され、3万人余の沖縄県系人はじめ、多くの日系人に大きな反響を呼んだ。

　沖縄県人会では、同胞を救えの合言葉のもと沖縄救済事業会が結成され、衣類、食料救済事業が展開された。その後、各種団体が結成され、山羊、医薬品が送られた。沖縄救済会では、養豚を得意とする沖縄同胞の将来を考え、豚を送る大運動を展開した。募金の結果、5万ドルが集まった。豚輸送には、山城義雄氏（獣医）ら7名が選ばれ、サンフランシスコへ渡り550頭の豚を購入し、軍用船を借用して、1948年8月31日に沖縄に向けオレゴンを出発した。

　当時は、日本軍の機雷が太平洋上を漂流し、何時機雷で吹き飛ばされるかわからない極めて危険な航海だった。7名の決心は、おのずと決まっていた。太平洋上で船もろとも命を失ったとしても我々の熱い思いは、沖縄の同胞に届くであろうと。太平洋の荒波に揺られての28日間の航海。沖縄本島が見えた時には、お互いにしっかりと手を握りしめ喜びの感動で男泣きに泣いたとのこと。ホワイトビーチでは、琉球政府工務部長の松岡政保氏らが一行の入港を心待ちにしていた。

　一方、沖縄救済更生会では、沖縄基本機関設立に援助しようとの構想を打ち出していた。その運動の中心的役割を果たした方々が、湧川清栄氏（ハワイタイムス）、山里慈海氏（慈光園開教師）、比嘉静観氏（牧師）であった。

湧川氏の基本機関設立構想

　1962 年に私は、湧川氏を自宅に訪ね、本に埋もれた書斎で長時間にわたってインタビューを行なった。インタビューで、湧川氏の移民の動機、戦中戦後の活躍の状況、米軍占領下の沖縄の現状への見解など伺った。湧川氏は、12 歳で来布され、ハワイ大学を 3 年で卒業したこと、東京大学への留学、戦中のコロンビア大学、シカゴ大学、ハーバード大学での日本語を教えながらの研究活動、ハワイに戻ってからの沖縄救援運動など詳細に語ってくださった。

　伺った体験談で、私が最も興味を持ったのは、沖縄救援運動の中での基本機関の設立構想であった。基本機関とは、銀行、新聞社、大学の三機関であった。湧川氏の思いは、米軍は、沖縄を占領したのだから短期間では撤退しないであろう。米軍は、基本機関を配して有効な占領政策を実施するに違いない。米軍がこれらの機関を設置する前に、ハワイの我々が沖縄の人々と協力して基本機関を設立しなければならない。

　基本機関としての銀行は、沖縄の経済復興・発展を推進する機関として不可欠である。新聞社は、公共性を有する言論機関である。大学は、高等教育機関として、人材育成に欠くことのできない重要な機関である。この 3 つの計画を具体化するために、10 万ドルを目標とする募金活動が沖縄救済更生会によって展開された。3 つの機関の中でも実現性が高く、その方向で進められていたのが、大学設立構想であった。

　大学設立基金のメドもついたので、大学設立の認可を得るため、湧川氏らは、ハワイの米軍太平洋司令部を訪ねた。司令部で責任者に会い、大学設立構想を詳しく説明した。これに対し、米軍は、米軍サイドで大学設立の計画があることを初めて打ち明けた。湧川氏が懸念していたように米軍は、その後、沖縄占領政策の一環として、沖縄の基本機関として銀行と大学を設置した。

　1950 年に米軍は、布令によって琉球大学を設立した。琉球大学は設立後数年間にわたって、布令大学、八ミリ大学と揶揄された。しかし、

学問を愛する教官・学生は、布令の制約を受けながらも大学の自治と学問の自由を高く掲げ、学問の府を築いてきた。

　西暦2000年に琉大は50周年。多くの人材を輩出し、沖縄の発展に大きな役割を果たし、今や日本とアジアの結節点に位置する国立総合大学として大きく発展している。琉球大学の設立は、沖縄救済更生会の湧川氏らの構想とご尽力に負うところが極めて大きかったといえよう。

　沖縄救済更生会は、大学設立基金を大学設立に活用できなかったが、それを有効に活用するため、沖縄の人材育成に寄与する留学制度を設置した。この制度により沖縄から最初の留学生として、1948年に瀬長浩氏（元副主席）ら5名がハワイ大学大学院に学ぶ機会を得た。

　この留学制度が契機となって、1949年には、米軍による米国留学制度が実現をした。米留制度は、復帰前の1970年まで継続され、1,000人余の若者が米国の大学院などで学ぶ機会を得た。これらの留学生は、沖縄の各分野で活躍し、沖縄の発展に大きく貢献している。

　また、湧川氏は、日本の農地改革後の農村の姿を見てみたいとも語っておられた。1946年にハーバード大学での論文「日本の小作制度」が、マッカーサー司令部の農地改革に影響を与えたとされる。

　1985年7月10日付の朝日新聞の文化欄での湧川氏紹介の記事によると、政府税制調査会会長の小倉武一氏の招待でご夫婦が来日され、岩手、新潟両県の農村を巡っておられる。朝日新聞記者の質問に応えた湧川氏の感想の後段部分を引用すると「小作人の窮乏を救うのが第一の問題だった。その意味で土地改革は、大きな役割を果たした。むしろ効果的であった。効果的だったために、一部保守政治の温床になっていたことに皮肉を感じる。」と語っておられる。権力に対し、批判を持ち続けた方であった。

　37年前に私が、米軍占領下の沖縄の現状への見解をお聞きした折にも、自由は、第三者によって与えられるものではなく、自ら努力して勝ち取るべきものであると述べておられた。

故郷今帰仁への熱い思い

　1989年に湧川氏がご夫婦で来沖された折、市内を私ども夫婦でご案内し、食事を共にしながらいろいろとお話を伺った。湧川氏は、今帰仁村と名護の境界の自然景観に恵まれた地に大学を設立し、人材を育成したいとの熱い思いを語っておられた。年齢的に80歳を越え、ペースメーカーを使用しておられながらも、大学設立に寄せる思いを語る情熱の力強さは、若々しく、深い感銘を覚えた。

　大学設立については、琉球大学学長の東江康治先生に依頼してあるので実現するよと自信をもって話しておられた。その折に、ご本人所有の図書の一部は、琉球大学に、一部は新しく設立される大学に、一部は、今帰仁村に寄贈したいとのご意向も語っておられた。ご出身地の今帰仁村への思い入れは、一入だった。

　名護への大学設置については、法政大学の外間守善教授と琉球大学学長の東江康治先生が大変なご尽力をされた。確か1991年だったと思うが、外間守善教授が来沖された際に、ごあいさつに宿泊先のホテルに先生をお訪ねした。その折り、先生から名護に設置される大学の文部省への大学設置認可申請書類の一部カリキュラムを見せていただいた。私は、いよいよ名護に大学が設立されるのだとの強い思いと、この大学の設立を最も期待し、喜ばれるのは湧川氏であろうと、ハワイの湧川氏に思いを馳せた。湧川氏は、名護に大学が設置されれば、社会科学の講義をしたいと語っておられた。1994年に地域の大きな期待を担って、名護市に名桜大学が誕生した。

　湧川氏のご逝去の報に接した時、大変残念な思いがしたのは、ご本人が長年待ち続けた郷里への大学設置は実現したが、その新しい大学での講義が叶わなかったことである。湧川氏は、37年前に語っておられたように学者になりたかったとの思いを、ずっと持ち続けておられたような気がする。

　名護市に誕生した名桜大学は、東江康治学長の強力なリーダーシップのもと、地域活性化に大きく貢献するとともに海外の多くの大学との連

携を図りつつ、国際性豊かな人材育成の大学として、大きく期待され、
発展しつつある。
　湧川氏は、生涯を通して沖縄を、郷里今帰仁をこよなく愛し、沖縄研
究と沖縄の人材育成に大きくご貢献された方である。心から感謝を申し
上げたい。

2000年3月25日発行
『アメリカと日本の架け橋・湧川清栄』ニライ社刊に掲載

ハワイに到着した5人の留学生。左から更生会の役員、端山敏教、
長嶺文雄、島袋文一、伊芸諒寛、瀬長浩、右端は湧川清栄氏
写真は『アメリカと日本の架け橋・湧川清栄』より

第5章　沖縄県系3世イゲ知事の誕生

1．イゲ氏のハワイ州知事当選有力視

　ハワイ州知事選挙の投開票が2014年11月4日（ハワイ時間）に行われる。この知事選に民主党から沖縄県系西原町出身3世でハワイ州上院議員のディビッド・イゲ氏、共和党から元副知事のデューク・アイオナ氏、無所属で元ホノルル市長のムフィ・ハネマン氏が立候補し、激しい選挙戦を展開している。3候補の中でイゲ氏が最も有力視されている。

　イゲ氏（57）は、ハワイ州下院議員を経て州上院議員を20年務め、歳出委員長として活躍してきた。去る8月9日に実施のハワイ州知事選民主党候補決定選挙で2期目を目指し、活発な運動を展開してきた現職のニール・アバクロンビー知事と競い大差で勝利した。

　私は、昨年と今年8月の2回、知事候補として選挙運動に取り組んでいるイゲ氏にハワイ沖縄フェスティバル会場で会った。特に今年のイゲ氏は、予備選で現職知事に勝利し、民主党知事候補として自信と誇りに満ち、エネルギッシュに選挙運動を展開していた。

　イゲ氏に予備選で敗退したアバクロンビー知事はハワイ州上下両院議員11年、米国会下院議員20年の大物政治家で、2010年に知事に就任した。米国下院時代に国防委員、小委員長として活躍。20年前、私が県庁勤務時代に米軍基地問題要請で大田昌秀知事に同行し数回訪米した折に有力議員の紹介、米国政府への要請手法など多くの示唆を得た。

　下院議員時代に沖縄の米軍基地を視察、ハワイ州知事就任後も在沖米海兵隊のハワイ移転に強い意欲を示し、米国防総省に働き掛けた。アバクロンビー知事はオバマ大統領の支持を受け、優れた政治手腕を発揮し予備選に臨んだが、草の根運動の新人イゲ氏に大敗した。

　今回の知事選3候補の中でイゲ氏の実質的対立候補は共和党のアイオナ氏である。ハワイは民主党支持が約80％といわれ、イゲ氏が断然有利だが、無所属で立候補のハネマン氏は元民主党であり民主党票が同氏

に流れることも予想される。最新の地元2紙の世論調査によると民主党のイゲ氏47％、共和党のアイオナ氏35％、無所属のハネマン氏12％の支持率で、イゲ氏がリードしている。イゲ氏が当選すれば、ハワイ沖縄移民114年の歴史の中で初の県系人知事の誕生となり、ハワイウチナーンチュと共に、県民の大きな喜びであり誇りである。2015年は沖縄・ハワイ州県姉妹提携30周年の記念すべき年である。沖縄県・ハワイ州の一層の連携発展を願い、イゲ氏の勝利を大きく期待したい。

（沖縄タイムス　2014年11月3日）

ハワイ州最高裁判所の前に立つカメハメハ大王の銅像。

2. イゲ氏のハワイ州知事当選を祝う

2014年11月4日（ハワイ時間）に行われたハワイ州知事選挙で、沖縄県系西原町出身3世のディビッド・ユタカ・イゲ氏（57）が当選した。イゲ氏は民主党候補として共和党候補の元副知事ジェームズ・アイオナ氏、無所属で元ホノルル市長のムフィ・ハネマン氏と激しい選挙戦を展開し勝利した。イゲ氏の当選はハワイ沖縄移民114年の歴史の中で大きなエポックであり、ハワイウチナーンチュと共に沖縄県民の大きな喜びであり誇りである。ハワイ社会に強力な基盤を有するウチナーンチュが自らの県系人知事を誕生させた。

イゲ氏はハワイ州下院議員を経て州上院議員を20年務め、歳出委員長として活躍してきた。ハワイ大学で学士、修士号を取得。専門は情報通信。公立学校教員の夫人と子ども3人。私は、昨年と今年8月の2回、知事候補として選挙運動に取り組んでいたイゲ氏にハワイ沖縄フェスティバル会場で会った。特に今年のイゲ氏は予備選で現職知事に勝利し、知事選に向け自信と誇りに満ち、活発な選挙運動を展開していた。

イゲ氏には、去る8月9日実施のハワイ州知事民主党候補決定選挙が最大の難関であった。相手は大物政治家で2期目を目指す現職のアバクロンビー知事。アバクロンビー氏はハワイ州上下両院議員11年、米国会下院議員を20年務め、2010年に知事に就任した。米国下院時代に国防委員、委員長として活躍。20年前、私が沖縄県庁勤務時代に米軍基地問題要請で大田昌秀知事に同行し数回訪米した折に、有力議員の紹介、米国政府への要請手法など多くの示唆を得た。下院議員時代に沖縄の米軍基地を視察、ハワイ州知事に就任後も在沖米海兵隊のハワイ移転に強い意欲を示し米国防総省に働き掛けた。優れた政治手腕の現職知事が予備選で、草の根運動のイゲ氏に大敗した。

イゲ氏にとって、今回の知事選3候補の中で実質的対立候補は共和党のアイオナ氏であった。ハワイは民主党支持が80%と言われ、イゲ氏が断然有利だったが、無所属候補のハネマン氏は元民主党であり民主党

票が同氏に流れることも予想された。全米的に民主党が大敗する中でイゲ氏は大奮闘した。イゲ氏が知事としてハワイの発展に大きく尽力され、米国の代表的政治家として幅広く活躍されることを願いたい。

　2015 年は、沖縄・ハワイ州県姉妹提携 30 周年の記念すべき年である。沖縄県とハワイ州の今後ますますの連携強化を期待したい。

（琉球新報　2014 年 11 月 8 日）

MENSORE！ ハワイ州ディビッド・イゲ知事一行歓迎会
沖縄かりゆしアーバンリゾートナハ、2015年10月8日

3. イゲ氏知事就任、沖縄との交流に期待

　ハワイ州知事に当選した沖縄県系3世で西原町出身のディビッド・イゲ氏（57）と副知事の日系人シャン・ツツイ氏の就任式が2014年12月1日（月）（ハワイ時間）にホノルル市の州政府ビル1階で行われる。イゲ氏の知事就任はハワイ沖縄移民114年の歴史を飾る一大快挙であり、ハワイウチナーンチュの大きな喜びと誇りである。この感動をわれわれ県民も共に分かち合い、祝福したい。

　日程表によると就任式式典後の祝賀イベントは沖縄色を前面に打ち出した演出となっている。午前の式典に続く午後の祝賀イベントは同式典会場で沖縄、日本、中国、フィリピン、ハワイの各民族芸能実演、スコットランドバグパイプ演奏などで就任を祝う。

　特に趣向を凝らした沖縄色演出は、式典終了後に知事夫妻を知事室に案内する際、1階エレベーター前まで沖縄エイサー隊がエスコートする。知事室前の5階のエレベーター付近では沖縄の獅子舞の獅子がイゲ知事夫妻を迎える。知事執務室では、沖縄のエイサー、獅子舞を演じ、照喜名朝一会・村田ハワイ支部長が沖縄の歌、三線で盛り上げる。

　ハワイウチナーンチュの喜び、感動の笑顔が脳裏に浮かぶ。私は、今、1960年代に沖縄移民1世のリーダーを訪ね聞き取った辛苦の体験談に思いをはせている。ハワイ沖縄移民1世は砂糖きび耕地で奴隷のような過酷な労働を強いられ、日本の他府県人からは蔑視され苦しい生活に耐えてきた。耕地労働の低賃金で生計を立て沖縄に仕送りもした。特に、子弟の教育を重視し、全力を傾注した。

　苦難を乗り越え生活基盤を築き、1960年代以降は沖縄県人が各分野のリーダーとして活躍する時代を迎えた。イゲ氏はハワイ州下院議員を経て州上院議員を20年務め、予算歳出委員長として活躍してきた。私は昨年、今年と2回選挙運動中のイゲ氏に会った。初回は穏健で誠実な印象を受けた。2度目は大物政治家、現職のアバクロンビー知事に民主党知事候補決定選挙で勝利した直後だっただけに自信に満ちあふれてい

た。

　2014年12月5日（ハワイ時間）にはイゲ氏の知事就任祝賀会がハワイコンベンションセンターで盛大に開催される。イゲ氏がハワイのトッププリーダーとしてハワイ州の発展に大きく貢献されることを願う。さらに2015年は沖縄・ハワイ州県姉妹提携30周年の記念すべき年である。沖縄とハワイの交流が一層推進されることを期待したい。

（沖縄タイムス　2014年12月1日）

沖縄ハワイ協会役員とハワイ沖縄連合会歴代会長との交流会
前列左、著者・沖縄ハワイ協会長
ホノルル市内、2015年7月10日

4. イゲ氏の知事当選ハワイと同時祝賀会

2014年11月に実施されたハワイ州知事選挙で沖縄県系西原町出身3世のディビッド・イゲ候補が初当選した。イゲ氏の当選の報に接し、私はハワイ沖縄県系人の喜びに湧く姿に思いを馳せながら大きな喜びと深い感動を覚えた。

イゲ氏は同年8月の民主党予備選挙で米国国会下院議員20年の経歴を有する大物政治家、ニール・アバクロンビー現職知事の対立候補として立候補し、事前予想では極めて厳しいとされていた。イゲ氏の選挙対策本部は草の根の幅広い緻密な運動を展開し勝利した。

11月の知事選挙では元民主党候補、共和党候補と三つ巴の選挙戦となったがイゲ氏は有利な選挙戦を展開し勝利、初当選を果たした。

沖縄県系知事の誕生はハワイ沖縄県系人と共に沖縄県民の大きな誇りと喜びである。沖縄ハワイ協会では2014年12月6日にハワイでの知事就任祝賀会に合わせ那覇市のホテルサンパレス球陽館で祝賀会を開催した。この祝賀会には沖縄ハワイ協会会員、西原町の上間明町長はじめ多くの西原町各分野のリーダー、親戚など約100人が参加しハワイとの同時祝賀でイゲ知事の映像を見ながら祝福した。

あれから4年、イゲ知事は2期目の選挙を迎えた。2期目の知事選挙は、2018年11月6日（ハワイ時間）に投開票が行われれ、イゲ知事が共和党候補のアンドリア・トゥポラ氏に圧勝し、再選を果たした。

今回の知事選挙の民主党予備選挙でも相手候補は、有力な米国下院議員のコリーン・ハナブサ氏で、事前評、新聞社の世論調査結果でもイゲ知事は大きくリードされていた。それだけに予備選挙直前までイゲ知事の勝利は厳しいと見られていた。しかしイゲ知事側は緻密な草の根運動を展開し、1期4年間の政策実績を前面に打ち出し、次第に支持の輪を広げ厳しい予備選挙を勝ち抜き民主党知事候補として、11月の知事選挙に臨んだ。

知事本選挙では前述のとおり圧勝した。沖縄県系知事の2度目の当選

で、ハワイウチナーンチュと共に沖縄県民は２度も大きな誇りと喜びを
味わう機会を得た。

　ハワイ州の知事任期は、２期８年と定められている。２期目は政策の
集大成となる。イゲ知事がハワイ州の歴史に輝く知事として活躍される
ことを大きく期待したい。

沖縄ハワイ協会によるイゲ知事就任ハワイとの同時祝賀会
ホテルサンパレス球陽館、2014年12月6日

5. イゲ知事初来県、講演・交流会

　2015年10月、沖縄県西原町出身の3世、ディビッド・イゲハワイ州知事が初めて郷里沖縄を訪問した。イゲ知事の来沖は、沖縄県・ハワイ州姉妹提携30周年記念式典・祝賀会への出席であった。イゲ知事には知事夫人、州政府職員、兄弟、ハワイ沖縄連合会の歴代会長、役員など14人が同行してきた。

　ハワイ州で初めて誕生した沖縄県系イゲ知事の初来県とあって、マスメディアでも大々的に報道され、県民のイゲ知事への関心が大きく高まった。

　ハワイ沖縄移民は、苦難の歴史を経て、生活基盤を築き、今日では目覚ましい活躍をしている。イゲ知事の誕生はハワイ沖縄移民114年の歴史を飾る一大快挙である。

　沖縄ハワイ協会、ハワイ沖縄プラザ建設募金推進本部では、沖縄県ハワイ州姉妹提携30周年記念式典前日の10月8日に、イゲ知事の講演会と歓迎・交流会を沖縄かりゆしアーバンリゾートナハで開催した。

　知事の講演会、交流会日程については、事前にハワイ沖縄連合会のジェーン・勢理客専務理事に依頼し、日程を調整していただき大々的な交流会を開催することが出来た。

　講演会でイゲ知事は郷里沖縄への初来県の印象、ハワイと沖縄の交流推進の展望などについて述べた。

　イゲ知事一行の歓迎会には、翁長雄志知事はじめ多くの市町村長、団体役員など約500人が参加し、交流会は大きな盛り上がりを見せた。

　歓迎・交流会には、特にイゲ知事出身地の西原町から上間明町長はじめ町会議員、団体リーダー、親戚など100人余が参加し会を盛り上げた。

　後日、イゲ知事夫妻は沖縄訪問を機にハワイから同行の兄弟と共に西原町の親戚宅を訪問した。親戚宅では仏前での焼香を済ませ、親戚との顔合わせ、懇親を深めた。親戚による歓迎の歌三線、フラを披露し歓迎の雰囲気を盛り上げた。その後、親戚の案内で先祖の墓参りをし墓前に

花を手向けた。

　イゲ知事は、西原町の親戚宅訪問、親戚との語らいで郷里沖縄への思いを一層強くしていた。

　イゲ知事の西原町の親戚宅訪問には、ハワイ沖縄連合会のジェーン・勢理客専務理事、沖縄ハワイ協会会長の高山朝光、宜野座朝美副会長、松田昌次理事が同行した。

沖縄ハワイ協会主催ディビッド・イゲ、ハワイ州知事夫妻歓迎・交流会
右より、翁長雄志沖縄県知事、イゲ知事夫妻、上間明西原町長、
著者・沖縄ハワイ協会長、かりゆしアーバンリゾートホテル
2015年10月8日

6. 沖縄県・ハワイ州姉妹提携 30 周年式典・祝賀会

　2015 年 7 月 10 日、沖縄県・ハワイ州姉妹提携 30 周年記念式典・祝賀会がホノルル市のワシントンプレイスで盛大に開催された。

　この式典・祝賀会には、ハワイ州のディビッド・イゲ知事はじめハワイ州各分野のリーダー、ハワイ沖縄連合会の歴代会長、関係者、沖縄からは翁長雄志知事はじめ多くの関係者が出席し盛大な式典、祝賀会が開催された。沖縄ハワイ協会からは、会長の高山朝光と宜野座朝美副会長、松田昌次事務局次長、山里恵子理事が参加した。

　祝賀の宴は、沖縄県立芸大の比嘉康春学長はじめ職員、学生による歌、三線、華麗な琉球舞踊が披露され、会場は沖縄色で盛り上がった。

　この華やかな祝いの光景を味わいながら私は、1900 年のハワイ沖縄移民初期の砂糖きび耕地での奴隷のような過酷な労働に耐えた先人に思いを馳せた。その頃、誰が 100 年後に沖縄県系人がハワイの知事になり、沖縄の知事一行を迎えて、このように盛大な交流会が開催されることを夢見ることができただろうか。後日、私はこの式典・祝賀会の感動をハ

沖縄県・ハワイ州姉妹提携30周年記念式典
左より、翁長雄志沖縄県知事とディビッド・イゲハワイ州知事
ロワジールホテル那覇、2015年10月9日

ワイにある当山久三翁の墓前で報告した。

　また、2015年10月9日には、沖縄において沖縄県・ハワイ州姉妹提携30周年記念式典と祝賀会が那覇市内のロワジールホテルで開催された。

　この式典は、沖縄県の翁長雄志知事の挨拶で始まり、ハワイ州イゲ知事、キャロライン・ケネデイ駐日アメリカ合衆国大使、マーク・比嘉ハワイ沖縄連合会会長、喜納昌春沖縄県議会議長の来賓祝辞と続いた。

　式典・祝賀会には市町村長、各種団体代表など約400人が参加した。私は沖縄ハワイ協会長として招待を受け式典に参加し、祝賀会で乾杯の音頭の指名を受け、沖縄県・ハワイ州姉妹締結30周年を祝し、会場の参加者の健勝を願い高らかに乾杯の杯を捧げた。

　この祝賀会にはイゲ知事に同行のハワイ州職員、ハワイ沖縄連合会歴代会長など大勢が同行、参加し相互の懇親交流を通して沖縄とハワイの絆を一層強固にした。

　イゲ・ハワイ州知事にとっては、今回が初の沖縄訪問であった。

沖縄県・ハワイ州姉妹提携30周年記念式典
前列左より、ディビッド・イゲハワイ州知事、翁長雄志沖縄県知事
後列沖縄ハワイ協会役員、左より、著者・沖縄ハワイ協会長、
松田昌次事務局次長、山里恵子理事、宜野座朝美副会長
ホノルル市内ワシントンプレイス、2015年7月10日

7. イゲ知事の講演に感謝、三線贈呈

2016 年 9 月の第 33 回ハワイ沖縄フェスティバルに参加のためハワイを訪問した沖縄ハワイ協会役員はハワイ沖縄連合会のジェーン・勢理客専務理事の案内で 8 月 30 日にハワイ州知事室にディビッド・イゲ知事を表敬訪問した。

イゲ知事には、多忙な公務の中、沖縄ハワイ協会役員を心から温かく迎え、親しく懇談いただいた。

その折、沖縄ハワイ協会では、イゲ知事が 2015 年 10 月にハワイ州・沖縄県姉妹提携 30 周年記念式典・祝賀会に出席のため来沖した折に、沖縄ハワイ協会とハワイ沖縄プラザ建設募金推進本部共催のイゲ知事講演会と交流会に協力いただいたことへの感謝を込め、お土産として沖縄から持参した三線をイゲ知事に贈呈した。三線贈呈の趣旨は、イゲ知事はウクレレを弾かれるので、ぜひ沖縄の三線にも興味を持っていただき沖縄文化に慣れ親しんでほしいとの思いからであった。

イゲ知事に三線を贈呈する前に表敬訪問に同席していた嘉手納町當山宏町長にカリーをつけていただきたいと思い、祝いの歌を 1 曲所望したところ快く引き受けて下さった。當山町長の弾む声と美しい三線の音色がハワイ州知事室に厳かに響き、表敬訪問の一行は深い感動を覚えた。

贈呈に当り私は、イゲ知事に 2016 年 10 月の世界のウチナーンチュ大会で 6,000 人が一斉に三線を弾くことになっているので、イゲ知事も三線演奏にご参加くださいとお願いした。イゲ知事は大変喜んで三線贈呈へのお礼を述べた。

また、2015 年 10 月のイゲ知事夫妻初来県の折は、イゲ知事の講演、交流会への参加記念にお礼として沖縄ハワイ協会、ハワイ沖縄プラザ建設募金推進本部からかりゆしウェアを贈呈した。イゲ知事夫妻は喜んでかりゆしウェアを着用して公式の場などで対応いただいた。

ハワイと沖縄の絆はイゲ知事の誕生により一層強固になり、交流の新時代を迎えた。イゲ知事は、沖縄の歴史文化に触れ、多くの人々との出会いにより郷里沖縄への思いを一層熱くしていた。

第6章　ハワイ沖縄連合会との連携強化

1．ハワイ沖縄連合会との交流推進

　2010年9月18日に私は沖縄ハワイ協会会長に就任した。以来、2018年11月の会長退任までの8年余にわたり、沖縄ハワイ協会役員、会員の大きな支えと協力のもとハワイとの一層の交流推進に努めてきた。

　特に沖縄ハワイ協会顧問の親泊一郎氏、嘉数昇明氏、嘉手苅義男氏、島袋周仁氏、玉城節子氏、照喜名朝一氏、比嘉幹郎氏、真喜屋明氏、宮城宏光氏、故久田友明氏、副会長の宜野座朝美氏、石川丈浩氏、稲嶺盛一郎氏、山内彰氏、事務局長の大城眞幸氏、次長の松田昌次氏、金城仁氏、上地成子氏、宮城久美子氏、野原由将氏、会計の稲嶺文子氏、監事の大城眞徳氏、古波蔵里子氏、山里恵子氏、理事の新里健氏、照屋文雄氏、与儀清治氏、源河永堅氏その他理事、会員一丸となった活動推進協力に心より感謝している。

　沖縄ハワイ協会は1966年に設立され、50年余の歴史の中で歴代会長、仲村亀助氏、親泊一郎氏、真喜屋明氏によりハワイとの様々な交流事業が推進されてきた。

　沖縄ハワイ協会発足当初の設立趣意書によると「ハワイ沖縄移民は66年の歴史を経て2世、3世と繁栄し、その数4万人余を数え、政治、産業、経済、教育、文化、宗教と各方面で重きをなし、内外の信頼を博している。郷土沖縄は米国の施政下にあり砂糖、パイン、野菜、漁業などハワイと同系産業の上に立ってハワイとの関係はいよいよ密度を高めるに至った。ハワイとの連携を図り、郷土沖縄の再建に資するため沖縄ハワイ協会を設立する」となっている。設立発起人は長年ハワイで生活し帰郷した方々が中心となり活動を展開した。

　私は、沖縄ハワイ協会設立前の1962年から1964年まで東西センター奨学生としてハワイ大学大学院に留学した。当時、沖縄は米軍施政下にあって、戦後の復興途上にあった。当時、ハワイの生活レベルは沖縄の

10倍であった。ハワイ沖縄移民は1900年の初期移民から62年の歴史を経て豊かな米国社会で高い生活水準を維持し、楽しい日々を送っていた。私は、その背景が知りたいと思い、休日にはハワイ沖縄移民各分野のリーダーの方々を訪ね沖縄移民の足跡、ハワイ沖縄県系人の郷土愛による戦後沖縄の復興救援活動などについて直に詳細にうかがった。

その内容については、「65周年迎えたハワイ移民」と題し、1965年に沖縄タイムス紙に7回にわたって連載した。

このような体験から私のハワイ沖縄県系人への親近感、思いは強い。

私は沖縄ハワイ協会会長在任中、ハワイ沖縄連合会役員と緊密な連携を図り、特にハワイ沖縄連合会（Hawaii United Okinawa Association）のジェーン・勢理客専務理事とは二人三脚で会員と共にハワイと沖縄の交流推進の諸活動に取り組んできた。

沖縄ハワイ協会主催ハワイ沖縄連合会役員歓迎会
ホテルサンパレス球陽館、2011年

2.　ハワイ沖縄フェスティバルに毎年参加

　ハワイ沖縄連合会主催のハワイ沖縄フェスティバルは毎年9月初旬の土、日曜日の2日間、ワイキキ近くのカピオラニ公園で開催され、約5万人の参加者で賑わうハワイ州での一大イベントである。

　1995年の同フェスティバルに、ビル・クリントン米国大統領が来場し参加者と親しく語り過ごされたことから、その評価を一層高めた。

　沖縄ハワイ協会では、私が会長就任後の2011年以降、毎年旅行社とタイアップし、交流団（国際旅行社の協力）を結成して協会役員と共に同フェスティバルに参加してきた。土曜日、日曜日両日のフェスティバルに参加、3日目にハワイ沖縄センターで開催のアロハパーティに参加し、ハワイ沖縄県系人との懇親を深めてきた。

　これまでに、毎年、市町村、団体に働きかけ、出演団体をハワイ沖縄連合会に推奨し、フェスティバル参加を推進してきた。

　2011年以降のフェスティバルへの主な参加、出演団体は、フラのレイニグループ、結い舞踊グループ、ラジオ沖縄の新唄大賞、読谷村の波平棒術伝統保存会、嘉手納町の屋良共栄会の演武グループ、嘉手納町の千原エイサーグループ、嘉手納町の野里共進会の演武グループ、北谷町のエイサーグループ、中城村の護佐丸太鼓、宜野座村芸能グループ、山内光子ファッションショー、その他、多くの団体、個人が参加し同フェスティバルを盛り上げてきた。

　フェスティバル初日の開会式典では、毎回ハワイ州知事、ホノルル市長らと共に沖縄ハワイ協会を代表して私も来賓挨拶をした。

　ハワイ沖縄連合会では、毎年フェスティバル会場に沖縄からのVIP、参加者のために本部テントを設営、連合会の担当者を配置してハワイ沖縄県系人との交流の場を設定している。

　2018年のハワイ沖縄フェスティバルは会場を従来のカピオラニ公園からコンベンションセンターに変更して開催された。会場変更の理由についてハワイ沖縄連合会では、2年前にハリケーンが接近しフェスティ

バルが中止になり財政的負担が大きかったこと、大工経験の年配のボランティアが減り、大型テントなどの設営が困難になったことなどを挙げていた。

　今回、初のコンベンションセンターでのフェスティバル開催となったが、家族連れ、若者、車いすの来場者など、全体の参加者数が増えた印象を受けた。

　ハワイ沖縄連合会役員によるとカピオラニ公園での開催より今回は参加人員が増加したとのことであった。ハワイ沖縄フェスティバルの益々の発展を祈る。

ハワイ沖縄フェスティバル開会式
祝辞を述べる著者・沖縄ハワイ協会長
カピオラニ公園、2011年9月2日

3. ハワイ沖縄連合会の対応に感謝

　ハワイ沖縄連合会は沖縄の市町村名を冠した郷友会（クラブ）など50団体で構成され、4万人余の沖縄県系人を束ねる強力な組織体である。その歴史的背景は、1900年のハワイ沖縄移民初期に、沖縄クラブとして誕生した。1951年にハワイ沖縄県人連合会が設立され、1995年には名称をハワイ沖縄連合会に改称し、現在に至っている。

　ハワイ沖縄連合会のモットーは沖縄文化の維持・継承・発展を基軸としている。1世が育んできたチムグクル、結いマール、イチャリバチョーデーの精神を大事に相互に助け合い、ハワイ沖縄社会の発展に共に資することを目めざしている。

　日頃は、ハワイ沖縄センターを中心に諸活動を展開し、年間行事では新役員の就任式、ハワイ沖縄フェスティバルなど大きなイベントを盛大に開催している。

　ハワイ沖縄連合会と沖縄ハワイ協会は長年にわたり相互交流の絆を深めてきた。沖縄ハワイ協会役員、団体がハワイ沖縄フェスティバル参加でハワイを訪問するたびに、ハワイ沖縄連合会の歴代会長が揃ってホノルル空港に出迎えに来た。我々の帰国に際しても空港で見送るなど、きめ細かな対応に深く感謝している。私が共同代表を務めるハワイ捕虜沖縄出身戦没者慰霊祭実行委員会による慰霊祭実施で、50人余の団体でハワイを訪問した折も親切な対応をいただいた。

　また、沖縄ハワイ協会役員はハワイ訪問のたびにハワイ沖縄フェスティバル開催前日に州政府に知事を表敬訪問し、沖縄とハワイの一層の交流推進をお願いしてきた。知事表敬の日程は、毎回ハワイ沖縄連合会のジェーン・勢理客専務理事に取っていただいた。2011年から2013年まではニール・アバクロンビー知事を表敬訪問した。2014年から2018年まではディビッド・イゲ知事を表敬し、懇親を深めた。また、毎回ハワイ沖縄連合会では、沖縄ハワイ協会役員と同連合会歴代会長との懇談の場を設定し、相互の情報交換、懇親を深め、絆を培ってきた。

　ホノルル空港での送迎、昼食懇談会出席の歴代会長は次のとおりであり、皆様のきめ細かな対応に心から感謝している。

　東恩納良吉氏、エドワード・久場氏、モーリス・山里氏、ジョン・田里氏、ジョージ・玉城氏、ラバーン・比嘉氏、デビッド・新川氏、ジョン・糸村氏、フォード・知念氏、パウル・古明地氏、ノーマン・仲宗根氏、サイレス・玉城氏、ジョージ・バテル氏、クリス・島袋氏、マーク・比嘉氏、トム・山本氏、ビンス・ワタブ氏、コートニー・高良氏、ジョセリン・イゲ氏、ジェーン・勢理客専務。

2015年ハワイ沖縄連合会マーク・比嘉会長と執行部役員・歴代会長

　なお、歴代会長のほか、KZOO放送の宇良啓子アナウンサー、若者交流組織「シンカの会」の華絵・具志堅・比嘉会長も空港での送迎によく来ていた。大変感謝している。

4. ハワイ沖縄連合会役員の就任挨拶来沖

　ハワイ沖縄連合会は、会長任期を1年とする制度を採用している。現職の若い会員が会長に就任することが多く、長期的な任期では職務との両立が厳しい状況にあるからだ。数人の副会長から次期会長が決定され、次期会長が1年後に会長に就任する仕組みになっている。会長は前年の次期会長任期を含めると実質2年の任期を務めたことになる。

　執行部役員も若い会員で構成されており、次々とスムーズに引き継がれるよう制度化されている。

　会長、執行部役員の交代式、祝賀会は毎年1月中旬に開催され、州知事、ホノルル市長、日本総領事、各分野のリーダー、連合会員など800人余の参加で賑わう連合会の一大イベントである。この祝賀会は前年に最も連合会活動に貢献した人々を選び、「ウチナーンチュ・オブ・ザ・イヤー」として同時に表彰するイベントでもある。

　ハワイ沖縄連合会ではハワイと沖縄の一層緊密な連携を図るため、新会長、次期会長、専務理事が毎年就任後の3月初旬に沖縄県知事、県議会議長、県教育長、関係市町村長へ表敬挨拶のため沖縄を訪問している。その折、沖縄ハワイ協会では連合会の新会長らを表敬訪問先へ案内し、沖縄とハワイとの交流推進強化に努めている。また、ハワイ連合会新役員と沖縄ハワイ協会役員との昼食懇談会を毎年ホテルサンパレス球陽館で開催し相互の情報交換を図ってきた。

　さらに、沖縄ハワイ協会ではハワイ沖縄連合会の新会長らの沖縄訪問の時期に合わせ、年次総会とハワイ沖縄連合会の役員歓迎交流会を毎年ジミー那覇店で盛大に開催してきた。

　この交流会には、沖縄ハワイ協会会員をはじめ、多くの市町村長、ハワイとの関わりの深い方々150人余が参加し絆を深めてきた。交流・歓迎会は、人間国宝で沖縄ハワイ協会顧問、照喜名朝一氏の高らかな歌と乾杯の発声で幕開けし、沖縄ハワイ協会会長、ハワイ沖縄連合会会長挨拶、市町村長紹介と続く。

　余興として、これまでにフラのレイナニグループ（宇津木信夫・万利子代表）、フラのハラウ　フラ　カラカウア（大田エコ代表）バンドのブルースカイ（仲里源栄代表）、結い舞踊グループ（宮城清代表）の出演に加え、玉城節子師匠の舞踊グループ、ラジオ沖縄新唄大賞歌手、民謡歌手の當真清子さん、歌手のバンジョウ愛さん、多くのグループ、個人の出演で会を盛り上げ、支援いただいた。

ハワイ沖縄連合会新役員の知事表敬訪問
左より2人目ジェーン・勢理客専務、ビンス・ワタブ次期会長、翁長雄志沖縄県知事、
トム・山本会長、著者・沖縄ハワイ協会長、ハワイ協会役員
沖縄県知事応接室、2016年3月22日

5.　ハワイ沖縄連合会役員の知事、市町村長表敬

　ハワイ沖縄連合会の新会長は表敬訪問先で就任挨拶と共に、まず1年の活動テーマを紹介した。2016年からは、ジェーン・勢理客専務理事の発案で、沖縄センターのハワイアンキルトグループ製作のハワイアンキルト膝掛約20枚を新会長出身市町村の福祉施設に毎年贈呈してきた。

　2011年から2018年までのハワイ沖縄連合会新会長らの主な表敬訪問先は次のとおりである。

　2011年ノーマン・仲宗根会長、サイレス・玉城次期会長、ジェーン・勢理客専務理事、会長の活動テーマは「華虹」、仲井真弘多知事、高嶺善伸県議会議長、大城浩県教育長、東門美津子沖縄市長を表敬訪問。

　2012年、サイレス・玉城会長、ジョージ・バーテルス次期会長、ジェーン・勢理客専務理事、会長の活動テーマは「練心」、仲井真弘多知事、高嶺善伸県議会議長、大城浩県教育長、稲嶺進名護市長らを表敬訪問。

　2013年、ジョージ・バーテルス会長、クリス・島袋次期会長、ジェーン・勢理客専務理事、会長の活動テーマは「ウカジデービル」（お陰様で）、仲井真弘多知事、喜納昌春県議会議長、大城浩県教育長、翁長雄志那覇市長を表敬訪問。

　2014年、クリス・島袋会長、マーク・比嘉次期会長、ジェーン・勢理客専務理事、会長の活動テーマは「スリイジュリイ」（皆で打ち揃って）、仲井真弘多知事、喜納昌春県議会議長、大城浩県教育長、稲嶺進名護市長を表敬訪問。

　2015年、マーク・比嘉会長、トム・山本次期会長、ジェーン・勢理客専務理事、会長の活動テーマは「スミティ」（染て）、翁長雄志知事、喜納昌春県議会議長、諸見里明県教育長、稲嶺進名護市長を表敬訪問。

　2016年、トム・山本会長、ビンス・ワタブ次期会長、ジェーン・勢理客専務理事、会長の活動テーマは「イチマデイン」（いつまでも助け合おう）、翁長雄志知事、喜納昌春県議会議長、諸見里明県教育長、宜保晴毅豊見城市長を表敬訪問。

　2017年、ビンス・ワタブ会長、コートニー・高良次期会長、ジェーン・勢理客専務理事、会長の活動テーマは「ムテエサケエ」（繁栄）、翁長雄志知事、新里米吉県議会議長、平敷昭一県教育長、當間淳宜野座村長を表敬訪問。

　2018年、コートニー・高良会長、ジョセリン・イゲ次期会長、会長の活動テーマは「ひやみかさ」翁長雄志知事、新里米吉県議会議長、平敷昭一県教育長、浜田京介中城村長を表敬訪問。

ハワイ沖縄連合会新役員の知事表敬訪問
左から、宜野座朝美沖縄ハワイ協会副会長、著者・沖縄ハワイ協会長、コートニー・高良会長、
翁長雄志沖縄県知事、ジョセリン・イゲ次期会長、ハワイ協会役員
知事応接室、2018年3月7日

6. ハワイ沖縄連合会支援チャリティー公演

2013年8月13日に沖縄ハワイ協会ではFM21放送局（石川丈弘社長、沖縄ハワイ協会副会長）とタイアップして浦添市てだこホールでハワイ沖縄連合会事業支援チャリティイベントを大々的に開催した。

公演は昼夜の2回、沖縄ハワイ協会と関わりの深いフラのレイナニグループ（宇津木信夫・万利子代表）、沖縄県民踊研究会（仲本興真代表）、おきなわ結い舞踊（宮城清代表）、バンドのブルースカイ（仲里源栄代表）、FM21の番組出演歌手、林美怜、坂田英子、糸山百合子さんらに出演いただき多くの観客を動員することができた。出演者に格別の協力を得ると共に、入場券販売について出演団体、出演者、ハワイ協会役員に多大の協力を得た。

企画・出演者との連絡調整、パンフレット作成・広告などFM21局の上地成子スタッフ（沖縄ハワイ協会事務局次長）が担当、会場での音響技術調整など宮城政司スタッフに協力いただいた。

このイベント収益は、入場券販売と広告で、230万円となり、その中から210万円（25000ドル）をハワイ沖縄連合会の口座に振り込んだ。

この収益金については、第30回ハワイ沖縄フェスティバルのアロハパーティで沖縄ハワイ協会からハワイ沖縄連合会に目録を贈呈した。この目録贈呈には沖縄からハワイ沖縄フェスティバルに参加の沖縄ハワイ協会の役員、真喜屋明前会長、宜野座朝美副会長、新里健理事、照屋文雄理事、宮里由紀理事がステージ上で立ち合い、会長高山朝光からハワイ沖縄連合会長に1万5千ドルの目録を贈呈した。続いて宜野座朝美副会長から1万ドルの目録をハワイ沖縄プラザ委員長に贈呈した。

後日、ハワイ沖縄連合会からハワイ沖縄連合会事業支援チャリティに出演した団体、個人に感謝状が贈られた。

なお、沖縄ハワイ協会では2002年にハワイ沖縄連合会（グラデス・徳永会長）から沖縄ハワイ協会へ活動支援金として寄付のあった1万ドルをハワイ沖縄プラザ建設募金推進本部に活動費として日本円換算で100万円を寄付した。

7. ハワイ沖縄連合会　勢理客専務の告別式

　2018 年 8 月 7 日にハワイ沖縄連合会のジェーン・勢理客専務理事の告別式がハワイ沖縄センターで執り行われた。告別式にはハワイ沖縄連合会の歴代会長はじめ、ハワイ州のディビッド・イゲ知事、ホノルル市のカーク・コールドウェル市長、伊藤康一日本総領事ら多くの関係者が参列、私も沖縄ハワイ協会代表として出席した。

　霊前に花をたむけながら、私の脳裏には私が沖縄ハワイ協会長として勢理客専務理事と二人三脚で 8 年間取り組んできたハワイと沖縄の交流推進の様々な光景がよみがえってきた。

　勢理客専務理事は 2018 年 7 月 6 日（ハワイ時間）に逝去された。厳しい病状にあることは知っていた。願わくば、ハワイ沖縄連合会の長年の重要事業であったハワイ沖縄プラザ落成式の 2018 年 9 月 3 日まで元気でいてほしいと祈り続けてきた。

　勢理客専務理事は、病床にあっても逝去の 4 か月前まで沖縄に挨拶訪問予定のコートニー・高良新会長、ジョセリン・イゲ次期会長に同行することを強く望んでいた。病状が悪化し沖縄訪問の同行不可が判明した時点で勢理客専務理事から私にメールが届いた。新会長、次期会長 2 人だけの沖縄挨拶訪問に心細さを覚えてか、コートニー新会長は年若い（歴代会長で一番若い）ので沖縄県知事への対応などきめ細かにサジェッションしてほしい旨の気遣いのメールであった。今後、体調を回復し沖縄を訪問したいとの本人の強い意志もしたためてあった。

　逝去 1 カ月前に私は本書に掲載する勢理客専務理事の人物紹介原稿を KZOO 放送局の宇良啓子アナウンサーに送り病室で読んで確認いただいた。宇良アナウンサーによると私の原稿を読み聴かせたところ本人は大変喜んでいたとのことであった。それから間もなくして、私は勢理客専務理事の訃報に接し大きなショックを受けた。

　早速、沖縄ハワイ協会の執行部役員会を開き告別式への対応を協議した。その結果、勢理客専務理事の長年に亘るハワイと沖縄交流への功績

を高く評価し、告別式への代表派遣、供花、香典を供えることを決定した。

　また、渡口彦信氏と私が共同代表を務めるハワイ捕虜沖縄出身戦没者慰霊祭実行委員会でも役員会を開き、告別式への対応を協議した。勢理客専務理事には、2017年6月にハワイで実施した慰霊祭で、中心的役割を果たし多大の貢献をしたことに深く感謝し、告別式への代表派遣、供花、香典を供えることを決定した。

　告別式には、沖縄ハワイ協会代表として会長の私が、前述の慰霊祭実行委員会からは渡口共同代表の代理としてコリン・瀬分（善久）委員が参列した。告別式典の前後には勢理客専務理事と懇意にしていた関係者の冥福を祈るVTR映像が流れ、私の映像も映し出されていた。

　私と瀬分委員は告別式翌日のお墓での埋葬にも参列し最後の別れを惜しんだ。

　勢理客専務理事の長年にわたるハワイと沖縄の交流事業への業績は沖縄県内各分野で高く評価され、訃報は沖縄の新聞でも大きく報道された。

　それだけに告別式に香典を届けたいとの多くの方々からの問い合わせ、依頼が沖縄ハワイ協会に届いた。その対応として、ハワイ沖縄連合会に事前に相談し、9月3日のハワイ沖縄プラザ落成式典当日に沖縄センターの一角にあるセリキャク茶屋に勢理客専務理事の遺影を掲出した祭壇を設けていただいた。当日、沖縄からの多くの参加者が勢理客専務理事の遺影の前に香典を供え、在りし日の勢理客専務理事の姿を偲びつつ合掌し冥福を祈った。

ジェーン・勢理客ハワイ沖縄連合会専務理事の遺影

第7章　ハワイ沖縄プラザ建設募金支援

1. 感動のハワイ沖縄プラザ落成式

　2018年9月3日、ハワイ沖縄連合会主催のハワイ沖縄プラザ落成式典が同ビル前で盛大に開催された。この式典には、ハワイ州のディビッド・イゲ知事、ホノルル市のカーク・コールドウェル市長、伊藤康一ホノルル日本総領事、沖縄県から嘉手苅孝夫文化観光スポーツ部長、ハワイ沖縄プラザ建設募金推進本部の真喜屋明本部長、沖縄ハワイ協会会長の高山朝光、ハワイ沖縄プラザ建設募金推進本部の宜野座朝美事務総長はじめ沖縄から400人余が参加し、式典を大きく盛り上げた。

　式典を前に会場は参加者の喜びに溢れていた。私自身、数年にわたる募金活動、2015年7月11日の地鎮祭以降の着工の遅れにも気をもみながら、やっと待望のプラザ落成式を迎えた喜びと感動に満ちていた。

　式典のオープニングは、獅子舞、ハワイと沖縄の祝詞で始まった。沖縄側からの祝詞は演出家の平田大一氏が務めた。式典はハワイ沖縄プラザ委員会共同代表のマーク・比嘉氏の司会で進められた。

　祝辞は、ハワイ沖縄連合会のコートニー・高良会長、ハワイ州のイゲ知事、ホノルル市のコールドウェル市長、伊藤日本総領事、沖縄県の嘉手苅文化観光スポーツ部長、沖縄ハワイ協会会長の高山、ハワイ沖縄プラザ建設募金推進本部の宜野座事務総長、ハワイ沖縄プラザ委員会のクリス・島袋共同代表の順で進められた。

　祝辞の中で落成の喜びと共に共通して述べられたのは、プラザ建設に大きく関わってきたハワイ沖縄連合会のジェーン・勢理客専務理事が落成式典前の7月6日に他界し、この式典への出席がかなわなかったことへのお悔やみであった。また、ハワイ州知事、ホノルル市長は、去る8月8日に沖縄県の翁長雄志知事が他界し、この式典への出席がかなわなかったことを悔やんでいた。

　祝辞は4分以内と制限されていたので、私は日英両語で短く次のよう

に述べた。

「アロハ、ハイサイ！　待望のハワイ沖縄プラザ落成を心からお祝い申し上げます。ハワイ沖縄プラザ委員会共同代表のマーク・比嘉氏、クリス・島袋氏、役員をはじめハワイウチナーンチュの皆様におめでとうを申し上げます。

また、10年前にプラザ建設を計画・立案し、実現に努力されたジョージ・玉城氏、玉城氏を大きく支えた東恩納良吉氏に敬意を表します。プラザ建設を心待ちにしていたハワイ沖縄連合会のジェーン・勢理客専務理事が去る7月6日に逝去され、この場におられないのが残念です。

ここで沖縄から参加の皆様にプラザ募金へのご協力に感謝申し上げます。お陰様で沖縄からの募金は1億円を突破しました。沖縄県民のプラザ募金への思いは、戦後、悲惨な状況にあった沖縄の復興に大きな支援を下さったハワイの皆様への恩返しです。ハワイプラザ建設を機に、ハワイと沖縄の絆が一層強くなることを願っています。」

ハワイ沖縄プラザ落成式典会場
プラザ前広場、2018年9月3日

2. ハワイ沖縄プラザ建設募金1億円の目録贈呈

2018年9月3日、ハワイ沖縄プラザ落成式典に続き祝賀会がハワイ沖縄センターで開催された。この祝賀会にはハワイ州知事、ホノルル市長、ホノルル日本総領事はじめ、沖縄からの参加者400人余を含む大勢の参加者で大きく盛り上がった。この祝賀会は前日と前々日に開催の第36回ハワイ沖縄フェスティバルのアロハパーティを兼ねて催されたのでハワイと沖縄の交流の輪が一層の広がりを見せた。余興としてハワイ沖縄フェスティバルに沖縄から参加出演の団体が芸を披露し祝賀・交流会の雰囲気を一段と高めた。

この祝賀会で最大の盛り上がりは、沖縄でのハワイ沖縄プラザ募金1億円の目録をハワイ沖縄連合会へ贈呈するセレモニーであった。募金目録贈呈の進行を沖縄ハワイ協会会長の私が仕切ることになった。私は沖縄県民がハワイ沖縄プラザ募金に如何に熱い思いを寄せ協力したかハワイ側の参加者に伝わるようにと思い高額募金団体を紹介した。

祝賀会に参加している100万円以上募金の団体代表の名前を読みあげ、起立していただき感謝の意を表した。会場から募金協力を讃える大きな拍手が続いた。沖縄から参加の多くの個人から募金協力があったが、個々の紹介は省略させていただいた。

多額の募金協力団体代表紹介の後、舞台での1億円の目録贈呈のセレモニーに移った。まず、ハワイ側の代表、ハワイ沖縄プラザ委員会共同代表のマーク・比嘉氏、クリス・島袋氏、ハワイ沖縄連合会会長のコートニー・高良氏に舞台に上がっていただいた。沖縄側からハワイ沖縄プラザ建設募金推進本部の真喜屋明本部長、沖縄ハワイ協会会長の高山朝光、ハワイ沖縄プラザ建設募金推進本部の宜野座朝美事務総長、募金推進本部の松田昌次事務局次長、同事務局のコーリン・瀬分善久委員に登壇してもらった。

目録贈呈前に真喜屋本部長に挨拶していただき、1億円と横書きで大書した目録を登壇者の沖縄側全員で持ち上げハワイ側代表に贈呈した。

　その後、沖縄ハワイ協会会長の高山、嘉数昇明顧問、宜野座副会長、松田理事、瀬分理事からハワイ沖縄連合会会長に記念品を贈呈した。

　さらに、記念品贈呈者を紹介、琉球人形作家の座間味末子氏から琉球人形寄贈目録の贈呈、玉城栄一氏夫人から玉城氏の絵画目録の贈呈。那覇市泉崎旗頭保存会から旗頭の目録贈呈。

　記念品贈呈のあった団体、個人およびファッションショーの山内光子氏らへハワイ沖縄連合会から感謝状が贈られた。

　交流会では、泡盛「残波」がふるまわれ会場の雰囲気を一段と賑やかにした。

　最後に参加者全員によるカチャーシーで盛り上げ、ハワイと沖縄の絆を一層強固にした。

ハワイ沖縄プラザ地鎮祭
左から、翁長雄志沖縄県知事、著者・沖縄ハワイ協会長、
宜野座朝美ハワイ沖縄プラザ建設募金推進本部事務総長、
東恩納良吉元ハワイ沖縄連合会長、2015年7月12日

3. ハワイ沖縄プラザ建設募金推進本部の 1 億円募金

　2013 年 8 月 31 日、9 月 1 日に開催の第 31 回ハワイ沖縄フェスティバルに参加の沖縄ハワイ協会役員とハワイ沖縄連合会役員の懇談の場で、ハワイ沖縄連合会からハワイ沖縄プラザ建設計画の説明があった。この会合には、ハワイ沖縄連合会のジョージ・バテル会長、クリス・島袋次期会長ら役員 9 人、沖縄ハワイ協会から高山朝光会長、宜野座朝美副会長、稲嶺盛一郎理事、宇津木信夫理事、山里恵子理事、野原由将理事ら 6 人が出席した。連合会のプラザ建設計画説明によると土地 2000 坪 3 億円で取得、現評価額は 2 倍の約 6 億。建設総額は約 5 億円で、2015 年に着工、同年に完成予定。建設費はハワイで募金、不足額は銀行借り入れで賄う。沖縄側に 1 億円の募金協力を願いたいとの要望であった。

　沖縄ハワイ協会ではハワイ沖縄連合会からのプラザ募金協力依頼を受け、役員会を開き協議した。一部役員からは、ハワイ沖縄プラザはリースビルであり、リースビル建設に募金協力すべきでないとの強い反対意見があった。この反対意見に対し、沖縄ハワイ協会とは別組織を設置してでもハワイ沖縄連合会のプラザ計画に協力すべきとの宜野座副会長の強い意見もあった。協議の結果、別組織を設置し、沖縄ハワイ協会と両輪で募金活動を推進した方が効果的との意見を取りまとめた。2013 年 10 月に理事会を開き、全県的な募金推進組織の設立を決定。これにより宜野座朝美副会長が中心となって設立準備を進めることになった。その結果、2013 年 12 月 20 日に沖縄ハワイ協会役員を中心に部外の協力者も参加してハワイ沖縄プラザ建設募金推進本部を設立した。

　推進本部長選考に当り内々に経済界のリーダー数人に就任を依頼、打診したが断られた。最終的に推進本部長に沖縄ハワイ協会顧問の真喜屋明氏が引き受け、事務総長に沖縄ハワイ協会副会長の宜野座朝美氏が選任され募金活動が正式にスタートした。

　本格的な募金活動は事務所が設置され、多くの委員が配され活動推進の体制が整った 2014 年 4 月から開始された。募金活動の中心的役割を

担った宜野座氏は、元の自宅1室を改修し無償で事務所に提供、夫人の順子さんも積極的に支援、娘の賀数美紀さんが会計を務め、佐藤由香里さんが書記として採用され一丸となって活動を推進した。

募金のスローガンは、「550頭豚への恩返し」即ちハワイへの恩返しであった。太平洋戦争で灰燼と化した郷土沖縄の復興支援にハワイのウチナーンチュが沖縄へ送り届けた衣類、医薬品、学用品、ヤギ600頭、豚550頭への感謝だった。

当初の募金目標額は5000万円。

北は国頭村から南は糸満市まで、沖縄県、市町村、企業、団体を訪問し趣旨説明に努めた。広く個人にも協力を呼び掛けた。多くの方々の協力のもとに、宜野座朝美事務総長、松田昌次事務局次長、高山朝光沖縄ハワイ協会会長の3人が常に一体となって活動し、後にコーリン・瀬分善久委員が加わり共に奔走した。

募金趣旨説明で最も効果的だったのは、550頭の豚輸送への恩返しだった。ハワイ同胞が送り届けた豚は市町村単位に配られ、後に10万頭余に増え戦後沖縄の経済復興に大きく貢献した。

プラザ募金について報道機関も報道協力だけでなく、大口の募金を寄せていただいた。特に沖縄タイムス、琉球新報社には企業、団体からの募金について贈呈の写真入りで詳細に報道していただき全県的に募金への関心を大きく高めた。

一方、募金中にいくつかの難題にも直面した。リーマンショックからハワイでも沖縄でも募金が進展しない時期があった。ハワイで一部のリーダーがプラザ計画に反対との噂が沖縄にも流れ、本当にプラザは建設出来るのか疑問視されることもあった。市長会、町村会では以前にハワイ沖縄プラザ募金に協力済みなので会としての対応は無理と断られた。そのため市町村については各市町村を訪問し個別に募金協力をお願いした。

また、一部に沖縄で終始反対を唱える動きもあった。

全体的に、県民のハワイウチナーンチュに寄せる暖かい同胞愛の心は

沖縄県、市町村、企業、団体の大口募金、そして多くの個人募金も寄せられ、特に最終年の2018年には大きな盛り上がりを見せ、募金総額は1億円を突破した。

　県民のハワイ沖縄連合会支援に寄せた暖かい「チムグクル」に心から感謝している。

沖縄・ハワイなつメロ歌謡チャリティーショー
浦添市てだこ大ホール　2009年11月14日

4.　沖縄県・市長会・町村会の 1 億円助成協力

　2003 年ハワイ沖縄連合会長のジョージ・玉城氏は任期終了後間もなくハワイ沖縄プラザ建設計画を提案した。玉城氏は、会長任期中に沖縄県系人の 1 世、2 世と比較して 3 世以降世代の郷友愛、相互協力の精神が次第に薄れ行く状況に危機感を覚えた。この状況では将来的にハワイ沖縄連合会の活動拠点である沖縄センターの維持管理も厳しくなる。ハワイ沖縄連合会の財政を募金に頼るだけでなく、自ら収入源を得て沖縄センターの維持管理、会の財政基盤の強化、次世代への沖縄文化の継承・発展に資するための定期的収入源となるリースビル建設が必要だと説いた。

　玉城氏は、東恩納良吉元会長、モーリス・山里元会長らとリースビル建設について論議を深めた。その結果、2005 年にハワイ沖縄プラザ委員会が設置され、玉城氏が委員長に就任した。募金委員会も設置し、委員長にアレン・知念氏が就任、ハワイでの募金活動がスタートした。

　2006 年 2 月に、ハワイ沖縄連合会長のラバーン・比嘉氏、次期会長のデビッド・新川氏、元会長の東恩納良吉氏、元会長のジョン・糸村氏、ジェーン・勢理客専務理事ら 5 人が来県し、那覇商工会議所（会頭仲井真弘多）に専務理事の仲里全輝氏を訪ねハワイ沖縄プラザ建設計画の説明をし、支援協力のお願いをした。

　その要請に沖縄ハワイ協会の真喜屋明会長、宜野座朝美副会長も同行した。後日、真喜屋会長に理事高山が同行し、沖縄県、市長会、町村会を訪ねハワイ沖縄プラザ建設への支援協力を要請した。

　2006 年に沖縄県知事選挙があり仲井真弘多氏が知事に当選。那覇商工会議所の仲里専務が副知事に就任した。仲里副知事は、那覇商工会議所専務時代にハワイ沖縄連合会役員からハワイ沖縄プラザ建設支援協力依頼を直接受けていたので、沖縄県としても積極的に協力すべきとし支援予算を計上した。

　さらに、仲里副知事は、市長会、町村会にも足を運びプラザ支援協力

を求めた。

　その後、市長会、町村会もハワイ沖縄プラザ建設支援予算を編んだ。

　それぞれの予算額は、ハワイ沖縄連合会の要請1億円に対し、沖縄県が6千万円、市長会が2千万円、町村会が2千万円の合計1億円とした。

　ハワイ沖縄連合会の2011年8月現在までの資金提供資料によると沖縄県から47万ドル、沖縄県市長会から20万6千ドル、沖縄県町村会から20万6千ドルとなっている。沖縄県、市長会、町村会は8500万円を支払った。

　その後もプラザ募金活動はジョン・糸村募金委員長を中心に進められたがリーマンショックによる経済不況で募金がハワイでも沖縄でも一時期中断した。

　2018年9月3日のハワイ沖縄プラザ落成式典終了2か月後の11月9日に、ハワイ沖縄プラザ委員会共同代表のクリス・島袋氏が東京への用件で来日した折、沖縄へ立ち寄り沖縄県副知事時代に沖縄県、市長会、町村会のハワイ沖縄プラザ募金取りまとめに尽力した仲里全輝氏に、那覇市内のホテルでハワイ沖縄プラザ写真入りの感謝状が贈呈された。感謝状贈呈には高山沖縄ハワイ協会会長、ハワイプラザ建設募金推進本部事務総長の宜野座朝美氏も立ち会い仲里氏に感謝の意を表した。

　同感謝状は同日、島袋共同代表からハワイ沖縄プラザ建設募金推進本部長の真喜屋明氏にも贈呈された。

ハワイ沖縄プラザ全景

5. ハワイ沖縄連合会レガシーアワード(功労賞)受賞に感動

　ハワイ沖縄連合会（HUOA）2019年レガシーアワード（功労賞）の受賞式が2019年11月2日（ハワイ時間）にワイキキのヒルトンハワイアンビレジホテルで開催された。

　この賞はハワイの沖縄県系人社会の発展に貢献した人に贈られる功労賞で、今年はハワイ側3人、沖縄側から4人の7人が受賞した。ハワイ側受賞者は、ハワイ沖縄プラザ建設の発案者で建設募金推進に貢献したジョージ・タマシロ氏、ハワイの若者が沖縄で琉球舞踊を学ぶための奨学金を設立したアート・ロレイン（故人）カネシロ夫妻、レストランRoy'sのオーナー兼シェフのロイ・ヤマグチ氏、沖縄側からはハワイ沖縄プラザ募金推進に貢献した元沖縄県副知事の仲里全輝氏、ハワイ沖縄プラザ建設募金推進本部長の真喜屋明氏、同副本部長で前沖縄ハワイ協会会長の高山朝光、同事務総長の宜野座朝美氏が受賞した。特に沖縄側受賞者は、ハワイ沖縄プラザ建設募金への貢献が高く評価された。受賞式・祝賀会にはHUOA会員を中心に約450人が参加し、7人の功績をたたえた。

　栄誉あるレガシアワード受賞ながら、私（著者）は、受賞式出席に際し、沖縄出発前から気が重かった。沖縄を発つ前日の2019年10月31日（日本時間）に首里城が炎上、焼失し大きなショックを受けていた。ハワイの友人からもハワイのウチナーンチュは首里城焼失のニュースで大きなショックを受けている。今回のハワイ訪問は、笑顔での歓迎は厳しいねとの電話を受けた。

　祝賀会場での会話も首里城焼失を惜しむ挨拶で始まった。祝賀会で祝辞を述べたハワイ州のディビッド・イゲ知事、ホノルル市のカーク・コルウェル市長、ホノルル日本総領事の田中康一氏も共に首里城の焼失を惜しみ早期再建を願うと挨拶していた。

　ハワイ沖縄連合会では、いち早く首里城再建を願い募金活動を開始し、

当日の祝賀会でも参加者に募金協力を呼び掛けていた。ハワイウチナーンチュの母県沖縄への郷土愛の深さに感動した。

　レガシアワード受賞祝賀会は受賞者の関係者による余興演目で大きく盛り上がった。

　私は詰めかけた多くの友人・知人から首からあふれ顔が埋まるほどの祝福のレイを受け、語りかける皆さんの心からの祝いの言葉に感激、感謝した。ハワイウチナーンチュとの絆の深さを一層実感した受賞式・祝賀会だった。

ハワイ沖縄連合会2019レガシーアワード受賞者・家族
および、ハワイ沖縄連合会歴代会長
前列右より、ジョージ・玉城夫妻、真喜屋明夫妻、著者、
宜野座朝美夫妻、ヒルトンワイキキビレッジ、2019年11月2日

第8章　5万人余で賑わうハワイ沖縄フェスティバル

1. ハワイ沖縄県系人の熱い思い

　ハワイ沖縄県系人は、米国社会で確固たる基盤を築き、郷里沖縄へ熱い思いを寄せ、沖縄アイデンティティーに誇りを持って、各分野で目覚ましい活躍をしている。

　ハワイでは、2003年8月29日から9月2日までの5日間、世界のウチナーンチュを迎え、「第21回沖縄フェスティバル」「第1回世界のウチナーンチュ会議」「第7回WUB国際会議」と三つの大きなイベントが同時に開催される。

　私が、初めてハワイを訪問したのは、今から41年前である。当時は、多くの1世、2世が活躍されていた時代で、私は、各界の代表的な1世の方々にお会いし、沖縄移民の足跡、発展の基盤づくり、戦後沖縄への救済運動など詳しく伺った。以来、ハワイへ深い思いを寄せ、交流に努めている。今、ハワイは、3世、4世の活躍の時代を迎えたが、1世が大事にしてきた沖縄アイデンティティーは、若い世代に脈々と受け継がれている。

　ハワイ沖縄連合会では、沖縄の歴史文化への愛着を深める多彩な行事を実施しているほか、毎年、100人近い若い世代を沖縄に派遣し、父祖の地で沖縄を学ぶ機会を与え、後継者の育成を図っている。

　今回のイベントの中の沖縄フェスティバルは、毎年実施しているメーンイベントで、ワイキキのカラカウァ通りでの大パレードや、カピオラニ公園での沖縄色豊かな多彩な催しは大変好評で、多くの観客を動員している。

　また、今回、ハワイ沖縄連合会とWUBハワイが初めて共催する第1回世界のウチナーンチュ会議は、ハワイの人々の沖縄に寄せる熱い思いが発想の原点となっている。

　沖縄で開催している世界のウチナーンチュ大会の中間年に世界のウチ

ナーンチュが一堂に集い、ネットワークの強化を図りたい、母県沖縄の人々に移民地での県系人の発展、活躍の状況を見てほしいとの強い思いが込められている。

この会議には、沖縄から 1,000 人近い参加と東京、大阪、米本国、南米各国などから多くの参加が見込まれている。

第 7 回 WUB 国際会議は、世界 20 支部から多くの会員参加が予想され、内容の充実した会議が期待されている。WUB は、8 年前に世界のウチナーンチュネットづくりを発想したハワイの人々の働き掛けで発足した。

昨年のボリビア大会は、移住地ボリビアの発展を象徴するかのように若い 2 世たちが立派な国際会議を開催し、参加者に深い感銘を与えた。

3 大イベント開催期間中の 9 月 1 日に、ハワイで琉球大学とハワイ大学の学術交流促進に多大な貢献をされたハワイ大学長ら 5 人に、森田孟進琉球大学長から名誉博士号が授与される。5 人中、3 人が沖縄県系人で、輝かしいご功績を心から祝福したい。

今回の 3 大イベントは、国際都市ホノルルで沖縄を広くアピールする絶好の機会であり、海外初のウチナーンチュ会議に大きな期待を寄せたい。

（琉球新報　2003 年 8 月 27 日）

2.　フェスティバルに沖縄から400人余出演

　ハワイ沖縄連合会主催の第25回沖縄フェスティバルが2007年8月30日から9月2日までの4日間ホノルル市で盛大に開催される。特に今年は25周年とあって、8万人近い参加者が見込まれている。

　この一大イベントを支援しようと、沖縄から仲里全輝副知事をはじめ市町村長、議長、各分野の代表、一般参加者などチャーター機と定期便で400人余の方々が参加する。今回の沖縄からの大規模参加は昨年の第4回世界のウチナーンチュ大会に、ハワイからホノルル市長を先頭に1,200人余の方々が参加された厚意への返礼の意味も大きい。

　フェスティバルは国際観光地ワイキキ大通りでの華やかなパレード、主会場カピオラニ公園での沖縄音楽、舞踊、沖縄料理の紹介など、多彩なプログラムでにぎわう。今や、ハワイ州民に人気の高いイベントとなっている。

　今回、沖縄から金武町の小、中、高校生による「當山久三ロマン未来の瞳」の公演、りんけんバンド、花やから、フラ・ウクレレのレイナニグループ、太鼓、空手など多くの団体が出演し、花を添える。

　かつて沖縄フェスティバルは沖縄県系人を中心に旧市街地で開催されていた。会場をカピオラニ公園に移したのは、1980年代まで沖縄の人々は日本の他の県人に対して劣等意識がまだ強く、それをぬぐい去るには沖縄の歴史、文化に誇りを持たすことが極めて重要で、沖縄アイデンティティを効果的にアピールできる場所としてワイキキの同公園を選定した経緯がある。

　ハワイ沖縄移民は日本本土の移民より15年遅れたばかりでなく、言語、生活習慣、文化的背景の違いから、他県人との交流もほとんどなく、蔑視され嫁取り婿取りもできない悲哀のなかで生きてきた歴史的背景がある。

　太平洋戦中戦後にかけ、砂糖きび耕地労働から脱した移民1世の多くは養豚、養鶏、レストラン業に専念し成功。50年代のホノルル市にお

ける養豚、養鶏、レストラン業の70%近くが沖縄県人の経営であった。

経済基盤の確立に伴い子弟の人材育成に力を入れ、60年代以降、沖縄県人が各分野でリーダーとして活躍するようになった。今ではハワイ沖縄県人は政界、財界、教育界、社会の各分野で極めて大きな影響力を有している。

1995年、戦後50周年記念式典に出席のためハワイを訪問したクリントン米大統領は、開催中の沖縄フェスティバルに招かれた。会場に10分程度立ち寄る予定が1時間も参加者と親しく懇談し、スピーチをされた。

この模様は、ハワイのマスメディアで大々的に報道され大きな話題となった。一国でもない一県のイベントに大統領が来てスピーチをされた。このことが沖縄県系人のハワイ社会におけるステータスを一層高めた。

フェスティバルの成功とハワイ沖縄県系人のますますのご活躍を祈る。

（琉球新報　2007年8月29日）

ハワイ沖縄フェスティバル参加者
沖縄ハワイ協会グループ、アロハパーティー
ハワイ沖縄センター、2011年8月2日

3.　フェスティバルにクリントン大統領立ち寄る

　2013 年 8 月 31 日と 9 月 1 日にホノルル市で、第 31 回ハワイ沖縄フェスティバルが開催されている。このフェスティバルはハワイ沖縄県人連合会が主催する祭りで、毎年 5 万人超の観客を動員している。会場の国際観光地ワイキキ隣の広大なカピオラニ公園にはステージと多くのブースが設営される。ステージでは 2 日間、各団体による沖縄の舞踊、民謡、歌謡ショーなどが催される。

　ブースでは那覇市の国際通りをイメージした商店街、盆栽、生け花、着物着付け、ウチナーぐち（語）コーナーなどを設置。沖縄そば、サーターアンダギー、足てびちなど沖縄料理が販売され好評である。会場全体がウチナーンチュアイデンティティへの誇りと文化発信の拠点となっている。

　今回のフェスティバルに沖縄から 250 人超の大訪問団が参加する。出演者として読谷村波平棒術保存会（代表・波平区長新城昭彦、波平区芸能保存会長・知花清照）、嘉手納町千原エイサー保存会（代表・花城康次郎）、フラのレイナニグループ（代表・宇津木信夫、万利子）、ラジオ沖縄の新唄大賞受賞者ルーシーやジョニー宜野湾＆ワレワレらが参加し、祭りを一段と盛り上げる。

　また沖縄ハワイ協会役員と石嶺傳實読谷村長、小平武読谷村観光協会長一行はハワイ州のアバクロンビー知事を表敬訪問し懇談する。

　開会式ではハワイ州知事、ホノルル市長あいさつが恒例。今回、沖縄側から読谷村長、嘉手納町長代理で比嘉秀勝教育長、沖縄ハワイ協会長らが祝辞を述べる。2 日目に翁長雄志那覇市長がブラジルからの帰途、ハワイへ立ち寄り祭りに参加、祝辞を述べる。

　今やハワイ沖縄県系人は 1 世の辛酸を乗り越え、立派な生活基盤を築き、政界、財界、教育界の各分野にリーダーを輩出し、社会的に大きな影響力を有している。

　1995 年にはクリントン大統領（当時）を招いた。戦後 50 周年記念式

典に出席のためハワイ訪問中の大統領は、会場に 15 分程度立ち寄る予定がサーターアンダギーを食べながら 1 時間も参加者と懇談し、スピーチもした。それが翌日の新聞のトップ記事となり沖縄県系人のステータスを大きく高めた。

　私はフェスティバルに参加するたびに、国際観光地ワイキキで沖縄文化が幅広く紹介され力強く発信されていることに感謝の念と深い感動を覚える。今年のフェスティバルの盛会を祝し、ハワイと沖縄の絆を一層深めたい。

（琉球新報　2013 年 9 月 1 日）

ハワイ沖縄フェスティバルのステージで首から沖縄のヌチ花（貫花）をかけスピーチするビル・クリントン大統領（左）右はメイジー・ヒロノ元ハワイ州副知事、現連邦上院議員、1995年

第9章　参加者増大の世界のウチナーンチュ大会

1．世界ネットワークの広がり

　第4回世界のウチナーンチュ大会がスタートする。世界各地域から約4,700人の参加である。心から歓迎したい。それぞれの移民地で沖縄県系人は3世、4世の時代を迎えたが、沖縄アイデンティティの継承による郷里沖縄への思いは強く、毎回大会参加者は増加の一途をたどっている。

　南米のブラジルから約440人、ペルーから約300人、アルゼンチンから約160人、長い道程を30時間余の飛行機を乗り継いでの参加である。南米では経済的な厳しさもあってか、前回の大会より参加者がやや減少している。

　一方、ハワイは当初目標700人、ジャンボ機2機チャーター予定が、2倍近い約1,200人の参加者へと大幅に増加している。

　ハワイではハワイKZOO放送と沖縄FM21ラジオ放送が、4月から7カ月間、毎週月曜日に1時間の第4回世界のウチナーンチュ大会支援特別番組を実施してきた。この生放送番組には稲嶺知事、那覇市、浦添市、宜野湾市、沖縄市、うるま市、名護市、南城市の市長、北谷町長、さらに多くのスポンサー企業の社長・役員が出演。また大会事務局職員はじめハワイとかかわりの深い各分野のリーダーの方々約50人が出演して大会参加への歓迎を呼び掛けた。ハワイではこのラジオ放送による効果が大きかったと高く評価されている。

　1995年の第2回世界のウチナーンチュ大会を機に、1997年にハワイビジネスグループが中心になってHUB（ハワイウチナーンチュビジネス　アソシエーション）を立ち上げ、それを世界的なネットワーク展開にするためWUB（ワールドウチナーンチュビジネスアソシエーション）を設立した。今WUBは世界各国に21支部、500人の会員を有し、毎年各国持ち回りで国際大会を開催し活動を推進している。私は、その設

立からかかわり、沖縄、ハワイ、ロサンゼルス、ボリビア大会に参加し会員との情報交換、交流を深めてきた。

　WUBは相互協力により会社設立、貿易の促進など経済活動を展開している。今や、世界のウチナーンチュのネットワークは「琉僑」と呼ばれるほどに世界的に強力なきずなを有しウチナーンチュ大会を大きく盛り上げている。将来の課題は、それぞれの国で言語、風俗、習慣、文化背景の異なる若い世代にいかに沖縄アイデンティティーの意識を高め大会の継承、発展を図るかにある。

　この課題に関連して大会最終日の15日午前10時から沖縄コンベンション会議棟で「沖縄・ハワイ東西センター国際人材育成フォーラム」が開催される。このフォーラムには40年余にわたりアジア・太平洋諸国地域の5万人の人材を育成してきたハワイ東西センターのモリソン総長を基調講演の講師として招き、パネリストにブラジルWUB国際会長、ペルー沖縄県人会長、国際的経験の豊富な方々が出席し多様な論議を展開することになっている。多くの方々の参加で次世代に強力な琉僑ネットを継承し、発展させる布石を創出したい。

（琉球新報　2006年10月12日）

沖縄・ハワイ東西センター国際人材育成&沖縄研究世界ネットシンポジウム

2. ハワイから大規模参加の手ごたえ

　第5回「世界のウチナーンチュ大会」がいよいよ、2011年10月12日から16日までの日程で沖縄セルラースタジアム那覇を主会場に盛大に開催される。この大会には海外から約5千人の参加が見込まれ、大会入場者は約35万人と予想されている。

　大会本部は6月に北米キャラバン、8月に南米キャラバンを実施し大会への参加を呼び掛けている。一方、それぞれの関係団体でも、海外の県人会と緊密な連携を図り、参加者増の広報活動を推進している。また今回は、東日本大震災による原発事故被害の風評もあり、その解消にも努めている。

　毎回、全参加者の大きな比重を占めるハワイは、既に旅客機3機をチャーターし800人が参加予定との情報を得た。ところが、第4回大会にはハワイから約1,200人が参加している。沖縄ハワイ協会は前回並みの参加者増を期待し、PR活動推進のためハワイ訪問を企画した。

　ハワイ沖縄連合会が毎年9月初めに開催し、5万人余の参加者でにぎわう沖縄フェスティバルに照準を合わせ、約90人が9月2日からハワイを訪問し親善交流を深め、ウチナーンチュ大会参加呼び掛けのPRに努めた。

　9月3日、4日の沖縄フェスティバルのステージでは、今回の訪問団、フラのレイナニグループ（宇津木信夫・万利子代表）、民謡の當間清子ファミリーグループ、民舞の結舞踊グループ（宮城清代表）が出演、沖縄をアピールし、ウチナーンチュ大会への関心を高めた。

　沖縄フェスティバルで、そして日本語放送KZOOの現場スタジオで再三、大会参加を呼び掛け、またハワイ沖縄連合会の歓迎交流会でもPRし盛り上げた。

　ハワイ州のニール・アバクロンビー知事にもお会いし、ウチナーンチュ大会参加と講演願いの文書を手渡した。アバクロンビー知事は下院議員時代に沖縄を訪問。沖縄米軍基地問題にも精通し、沖縄への親近感・関

心も高く、大会への参加と講演を喜んで承諾してくださった。

　また、この時期に沖縄県女性の翼の会一行が研修で、宮古島市長一行がハワイ・マウイ島との姉妹提携交流でハワイを訪問し、ハワイとの交流を深め沖縄フェスティバルを盛り上げた。

　今、ハワイでも参加者増が見込まれ、1100人近い登録との情報を得ている。ウチナーンチュ大会で海外から参加の皆さんを心から歓迎し、交流を深め、絆を一層強固にしたい。

（琉球新報　2011年9月14日）

沖縄ハワイ協会総会・懇親会
挨拶する著者・沖縄ハワイ協会長
ホテルサンパレス球陽館、2011年7月3日

3.　賑わったハワイ州知事講演・交流会

　2011年10月に開催の、第5回世界のウチナーンチュ大会にハワイか
らニール・アバクロンビー知事を先頭に1200人余が、チャーター機2
機と定期便で来県した。沖縄ハワイ協会役員は、那覇空港で歓迎の横断
幕を掲げ一行を歓迎した。

　ウチナーンチュ大会前夜祭のパレードにはハワイから参加のハワイ沖
縄連合会メンバーに沖縄ハワイ協会役員・会員、フラのレイナニグルー
プが参加し、共に国際通りをパレード、沿道の市民の歓迎に応えた。

　沖縄ハワイ協会ではウチナーンチュ大会を機にハワイと沖縄の交流を
一層推進するため歓迎・交流会とハワイ州知事の初の講演会を開催した。

　アバクロンビー知事は現職前の1990年代に米国下院軍事委員として
活躍し、沖縄の米軍基地問題に大きな関心を寄せていた。

　私は1992年から1996年まで大田昌秀沖縄県知事時代の知事公室長、
政策調整監として大田知事に同行し沖縄米軍基地問題解決要請でワシン
トンを訪問するたびにアバクロンビー議員に会い要請した。それだけに
アバクロンビー議員がハワイ州知事に就任してからも懇意にさせていた
だいた。

　アバクロンビー知事が世界のウチナーンチュ大会参加で初めて知事と
して来県した機会に、前もってハワイ沖縄連合会のジェーン・勢理客専
務理事に知事の沖縄での講演・交流会日程を取っていただいた。10月
15日にパシフィックホテル沖縄で講演会と交流会を開催した。アバク
ロンビー知事は講演の中で、ハワイと沖縄の類似性、相互の交流の重要
性、将来展望について情熱的に述べた。聴衆は深い感動を覚え、多くの
質疑が交わされた。講演会は熱気に溢れ大盛況であった。

　歓迎・交流会には、仲井眞弘多沖縄県知事をはじめ、市町村長、各分
野のリーダー、関係者など約450人が参加し、大変賑やかな交流会となっ
た。

　ハワイ側からはハワイ沖縄連合会会長はじめ歴代の会長、民間大使、

各界リーダー約90人が参加し、ハワイと沖縄の絆を一層強固にした。

ハワイと沖縄の雰囲気を醸すレイナニグループによるフラ、結い舞踊による民舞などの余興で交流の場を盛り上げた。

特に、読谷村の山内徳信元村長からアバクロンビー知事に同氏の米国下院議員時代に読谷村在の米軍基地問題要請で協力いただいたとして感謝状が贈呈された。

また、交流会終了後に、アバクロンビー知事が下院議員時代に懇意にしていた大田昌秀元沖縄県知事との懇親の場も設け、私も同席し交流を深めた。

ニール・アバクロンビーハワイ州知事講演会
パシフィックホテル沖縄、2011年10月15日

4. 沖縄移民の心癒した三線大演奏会

　第6回世界のウチナーンチュ大会がいよいよ始まった。2016年10月30日までの5日間、盛大に開催される。海外からの参加者は当初の目標を大きく上回る6千人超えが見込まれている。

　ハワイからは西原町出身3世のディビッド・イゲ知事を先頭に過去最多の1836人がチャーター機2便と定期便で来沖、参加する。皆さんを心から歓迎し、世界のウチナーンチュが母県沖縄に寄せる熱い思い、出会い・再会の喜びを共に分かち合いたい。

　本大会は26日の前夜祭のパレードで始まり、27日の開会式、28日の各市町村での歓迎・交流会、各種関連イベント、30日の閉会式へと続く。

　その中でも開会式と閉会式の三線大演奏会は圧巻で、海外からの参加者に深い感動を与え、沖縄の芸能文化への誇りを一層高めるものと確信している。

　三線は移住地で過酷な労働に耐え生活基盤を築いてきた1世の心を癒やした。時代とともに人々の生活に根差し、今では沖縄の芸能文化の象徴として大輪の花を咲かせている。

　今回のウチナーンチュ大会の三線大演奏会は人間国宝の照喜名朝一師匠の提起によるもので、第6回大会にふさわしく6千人による演奏決定に私も大いに賛同した。

　三線演奏についてハワイ州のイゲ知事にもお願いした。去る9月初旬にハワイ沖縄フェスティバルに参加のためハワイを訪問した折り、當山宏嘉手納町長、沖縄ハワイ協会会長、FM読谷の仲宗根朝治社長ら一行と共にイゲ知事を訪ねた。席上、沖縄ハワイ協会からイゲ知事の就任祝いに三線を贈呈した。その場で初弾きを當山町長にお願いした。三線の美しい音色と當山町長の美声が知事室に響き荘厳な雰囲気を醸した。

　イゲ知事に私は「ウチナーンチュ大会の閉会式で6千人の参加者による三線演奏があるので、イゲ知事と翁長雄志知事が先頭になって一緒に三線を演奏してください」とお願いした。閉会式の三線大演奏会では、

翁長知事とイゲ知事が共に先頭になって三線を奏でることをぜひ実現するようお願いしたい。三線は琉球王朝の長い歴史の中で育まれた平和の象徴であり、人々の心を癒やし、支え、生活に根差した沖縄の芸能文化の象徴である。第6回世界のウチナーンチュ大会のフィナーレを飾るにふさわしい6千人の演奏を皆で実現し、平和を愛するウチナーンチュのちむ心を三線の音色に乗せて世界に発信したい。

（沖縄タイムス 2016 年 10 月 28 日）

世界のウチナーンチュ大会前夜祭パレード
ハワイからの大訪問団、国際通り、2016年10月26日

5.　イゲ知事先頭にハワイから大訪問団

　2016年10月に開催の第6回世界のウチナーンチュ大会には世界の各国、地域から7000人余が参加し、これまで最多の参加者数となった。

　ハワイからはディビッド・イゲ知事を先頭に1800人余が参加、大訪問団となった。イゲ知事の来県は、前年の沖縄県・ハワイ州姉妹提携30周年式典・祝賀会出席以来2回目となった。

　ハワイからの参加者は2機のチャーター便と定期便で到着、沖縄ハワイ協会の役員が歓迎の横断幕を掲げ、一行を那覇空港で出迎えた。

　ウチナーンチュ大会前夜祭の国際通りでのパレード出発式でイゲ知事が挨拶。

　パレードにはハワイからの参加者に沖縄ハワイ協会役員、フラのレイナニグループが加わり沿道の歓迎の声に応えた。ハワイからの参加者は揃いのユニホームの大集団でパレード全体を大きく盛り上げた。

　イゲ知事はパレードの先頭に立ち沿道の市民にアローハと呼びかけながら、ウクレレを弾きフラの沖縄レイナニグループ、ハワイからのフラグループの踊りをリードした。私もウクレレグループの一員としてイゲ知事の隣りで演奏しながら沿道の歓迎に応えた。

　大会開会式で、イゲ知事は代表祝辞を述べ、各市町村単位の歓迎会には出身地西原町の歓迎会に出席した。その折、イゲ知事にハワイ沖縄連合会のジェーン・勢理客専務理事、ハワイ協会会長の高山朝光、宜野座朝美副会長が同行した。

　イゲ知事は、西原町民、親戚との懇親を深め故郷への思いを一層深くしていた。さらに、大会では世界各国から集ったウチナーンチュと接しウチナーンチュ意識を一層強く持つ機会を得た。

　沖縄ハワイ協会、ハワイ沖縄プラザ建設推進本部ではウチナーンチュ大会終了翌日の11月1日にウチナーンチュ大会参加のハワイ沖縄連合会役員、会員の歓迎交流会をパシフィックホテル沖縄で開催した。

　この歓迎交流会には、仲井真弘多知事はじめ多くの市町村長、大学、

企業、団体の代表、沖縄ハワイ協会会員、ハワイと関わりの深い方々約
500人が参加した。ハワイからはハワイ沖縄連合会歴代会長、沖縄民間
大使、一般会員ら100人余が参加。ハワイ沖縄連合会歴代会長、沖縄民
間大使に壇上に上がっていただき、ハワイ沖縄連合会のジェーン・勢理
客専務理事に紹介いただいた。

　会長高山、仲井真知事の歓迎のあいさつに続き、人間国宝、沖縄ハワ
イ協会顧問の照喜名朝一氏による乾杯の音頭で交流会がスタートした。

　会場はブルースカイのバンド演奏、結い舞踊の民舞、レイナニグルー
プのフラで賑やかに華やぐ雰囲気を醸した。

　大勢の参加者による歓迎交流会となり沖縄とハワイの絆を一層強固に
した。

第6回世界のウチナーンチュ大会にハワイから1800人余が参加
パレードでウクレレを弾きながら先導するディビッド・イゲ知事と夫人
那覇市国際通り、2016年10月26日

第10章　ハワイ州選出国会議員との連携

　1992 年から 1996 年までの 4 年間、私は大田昌秀沖縄県知事のもとで知事公室長、政策調整監として、大田知事の重要政策である沖縄米軍基地問題の解決に取り組んだ。米軍基地の整理縮小、返還あと地の活用、米軍による事件事故など基地から派生する諸問題、諸課題の解決要請を日本政府に繰返し強く要請してきた。一方、米軍基地使用当事者である米国政府に対し、米軍基地問題要請のため大田知事と共に毎年ワシントンを訪問し米国政府要路に訴えた。

　政策調整監時代に知事の代理として私単独でワシントンを訪問し米国政府関係先要路に要請と情報収集に取り組んだ。

　基地問題要請の効果を高めるためには国務省、国防省の高官、有力国会議員に会い強力に要請することが極めて重要である。

　とくに有力国会議員に会うには、その国会議員にコネのある人を通して面談予約を取ることが肝要である。その役割を期待したのは、ハワイ州選出の国会議員である。ハワイ州で選挙に大きな影響力のあるのは、組織力、活動力を有する沖縄県系人である。

　ハワイでは沖縄県系人の支援がなければ国会議員、知事、市長も当選しないと云われる程、選挙への影響力は大きい。

　それだけに、訪米要請のたびに、大田知事や私は、ダニエル・イノウエ上院議員、ニール・アバクロンビー下院議員に協力を求め、大変世話になった。

　ハワイ州選出の国会議員は近い存在であり、親しみを覚えた。これまで特に世話になったダニエル・イノウエ上院議員とニール・アバクロンビー下院議員に感謝し、紹介したい。

1. 沖縄米軍基地問題要請に親切に対応

米国上院議員

ダニエル・イノウエ

　1990年に沖縄県知事に就任した大田昌秀知事の重要政策は広大な沖縄米軍基地の整理縮小、基地から派生する事件・事故の解消であった。大田県政のもとで私は1992年4月に知事公室長に就任し、重要政策の基地問題を担当した。

　1990年代は東西の冷戦構造が崩壊し、米本国においても米軍基地の大幅な縮小が行われていた。ハワイ州の上下両院が沖縄の基地問題解決を決議し大統領、連邦議会に送付するなどの動きもあった。

　米国に幅広い人脈を有する大田知事は、沖縄米軍基地縮小の絶好の時期と捉え強力な訪米要請を行った。米国議会への要請では特にハワイ州選出の国会議員との連携を重視した。その1人が、ダニエル・イノウエ上院議員であった。イノウエ議員を最初に大田知事にハワイで紹介したのは、ハワイ政財界に幅広い人脈を有する元ハワイ沖縄連合会長のゲリー・新門（ミージョー）氏だった。

　イノウエ議員は福岡県系2世で、1941年12月ハワイ大学在学中に、志願して日系二世部隊の第442連隊攻撃団に入隊。激戦のイタリア戦線で、敵兵ドイツ軍の銃撃で右手を失いながらも、左手で応戦して敵陣地を破壊した。イノウエ議員の勇敢な戦闘は高く評価され、日系人の地位向上に大きく貢献した。除隊後ハワイ大学に復学卒業し、その後、ジョージ・ワシントン大学の法科大学院に進学。1963年から上院議員として活躍し、1990年代には民主党上院議員の重鎮として活発な議会活動を展開していた。イノウエ議員は大田知事が尊敬し、大変信頼している議員だった。

　1992年4月から1996年3月までの4年間、私は沖縄県知事公室長、

政策調整監として大田知事に同行し毎年、沖縄米軍基地問題解決要請の
ためワシントンを訪問した。そのたびに、イノウエ上院議員室を訪ね同
氏に直接要請をした。イノウエ議員はハワイ州選出の上院議員だけに大
変親近感があり、毎回、親切に対応いただいた。

　ところが、沖縄米軍基地問題への理解は示しつつ、イタリア戦線での
過酷な戦時体験からか、国防重視的な見地から沖縄米軍基地の縮小には
消極的に思えた。大田知事が沖縄米軍基地縮小を要請した頃の 1990 年
代初頭は米国で北朝鮮の核開発に伴う脅威論がマスコミでも大きく報道
され、米政府も重視している時代で、イノウエ議員は沖縄米軍の基地縮
小に触れることは北朝鮮に有利なシグナルを送ることになると懸念を示
していた。

　私はイノウエ議員がアジア歴訪の後、沖縄に立ち寄った折に会った。
リチャード・クリスティンソン米国総領事からイノウエ上院議員の来沖
連絡を受け、米軍嘉手納基地到着のイノウエ議員を迎えに嘉手納空軍基
地へ行った。

　到着機の前には赤いじゅうたんが敷かれ、タラップから降りるイノウ
エ議員を軍楽隊の演奏にあわせ、四軍調整官を先頭に各司令官が整列し
て迎えていた。クリスティンソン総領事が私をイノウエ議員に紹介した。

　その日以来、大田知事に同行し訪米要請のたびにイノウエ議員に会っ
た。

　1994 年に、私は政策調整監として職員と共に国防総省の在日米軍基
地総点検に沖縄県の意向取り入れ要請をするため単独で訪米した折、イ
ノウエ議員への要請日程も取ってあった。ところが当日イノウエ議員に
急用ができ、イノウエ議員事務所から別日程での調整があったが、私の
日程の都合で会うことができなかった。私が沖縄へ戻って、暫くしてイ
ノウエ議員から同氏の日程で会えなかったことへの釈明と、私が求めて
いた国防資料を同封した手紙が届いた。

　私は、米国のトップ政治家の 1 人であるイノウエ議員の気遣いに深く
感謝した。

　2000年11月10日に東西センター支援の小渕沖縄教育研究プログラム発足式典・懇親会が沖縄県（稲嶺恵一知事）主催で那覇市内のロワジールホテル沖縄で開催され、イノウエ議員が来賓として出席し、祝辞を述べた。

　私も東西センター沖縄同窓会長として祝辞を述べる機会を得た。懇親会でイノウエ議員に会い、これまでお世話になったことへの感謝の意を述べた。

　イノウエ議員に最後に会い挨拶したのは、2010年、東西センター50周年式典・祝賀会に参加した折だった。

　イノウエ議員は大田知事はじめ沖縄県には大変気づかいをしていただいた。心から感謝している。2012年12月17日に逝去され、謹んでご冥福を祈った。

　米国政府は、イノウエ議員の米国発展への功績を高く評価し、その名声を永遠に讃えるため、ミシガン州の病院名、アメリカ海軍の駆逐艦名、ホノルル国際空港名に「ダニエル・イノウエ」の名称を冠している。

東西センター50周年記念式典・祝賀会場
左、ダニエル・イノウエ米国上院議員と著者・東西センター沖縄同窓会長
ホノルル市内、2010年

2. 沖縄米軍基地問題要請に強い関心と協力

元米国下院議員・元ハワイ州知事
ニール・アバクロンビー

　ニール・アバクロンビー元米国下院議員、前ハワイ州知事には沖縄の米軍基地縮小に大きな関心を寄せ、取り組んでいただいた。

　私がアバクロンビー下院議員に初めて会ったのは、1993年5月で大田昌秀県政のもとで知事公室長として米軍基地問題を担当し、大田知事に同行して米軍基地問題解決要請で訪米した折であった。

　アバクロンビー議員は、ニューヨーク州出身で、ハワイ大学で学び修士号、博士号を取得。その後、ハワイ州議員などを経て米国下院議員に当選し、下院軍事委員を務め、活躍。民主党員で、リベラルの情熱家、雄弁家の政治家である。

　大田知事を団長とする沖縄からの訪米要請団が、アバクロンビー議員を同議員室に訪ね要請する度にハワイ州選出議員だけに親近感があり、大変親切に対応いただいた。

　沖縄県からの要請に対し、米国政府要路への紹介、政府への要請方法、マスコミの活用など具体的に多くの教示をいただいた。

　沖縄県からの要請について、要請項目が多すぎるので重要度の高い順に絞って要請した方が効果的との教示も受けた。同氏の意向を参考に、その翌年からは、重要度の高い3事案、(1) 那覇軍港返還、(2) 読谷補助飛行場でのパラシュート降下訓練の廃止と同施設の返還、(3) 県道104号線越え実弾砲撃演習の廃止に絞って要請を行った。

　1993年11月にアバクロンビー議員を県費で沖縄に招待し主要基地の視察と、大田知事、米軍基地所在市町村長との懇談会を開催し意見交換をした。

　その年の3月にはラロック国防情報センター所長（元海軍少将）、10月にはクーター基地閉鎖・再編委員長（大統領諮問機関）を県費で招き

基地視察と関係市町村長との懇談会を開催した。

アバクロンビー議員は沖縄基地視察後の国会活動で沖縄米軍基地問題解決に向け一層情熱を傾注し、沖縄県への米軍基地関係の動向資料を積極的に提供した。

1995年、知事訪米で沖縄県は、沖縄米軍基地問題の現状を広く米国民に訴えるためワシントンポストに全面広告を掲載した。

この広告掲載を見たアバクロンビー議員は、国会議員はワシントンポストをよく読んでおり、米国民に基地問題をアピールするに効果的だと評価していた。

アバクロンビー議員は下院議員を約20年勤めた後、2010年のハワイ州知事選挙に立候補し、知事に就任した。

私は沖縄県退職16年後に沖縄ハワイ協会長に就任し、2012年に、ハワイ沖縄フェスティバル参加のためハワイを訪問した。その折、沖縄ハワイ協会役員と共にハワイ州知事室にアバクロンビー知事を表敬訪問した。大変親切に迎えていただいた。アバクロンビー知事は知事に就任しても下院議員時代と同様に沖縄米軍基地問題解決に関心を示し、フェスティバル会場で私に米国防長官と沖縄の米海兵隊をハワイに移すよう交渉していると語っていた。

かつて、沖縄県から要請を受けた米軍基地縮小の課題を解決したいとの思いは、下院議員を離れハワイ州知事になっても強い意志を持ち続けていた。

第5回世界のウチナーンチュ大会参加で来沖の折、沖縄ハワイ協会主催でアバクロンビー知事の講演会と歓迎交流会を盛大に開催した。

交流会終了後に懇意にしていた大田昌秀元沖縄県知事と久し振りに懇談した。その懇談会に私も参加した。その席上でもアバクロンビー知事は沖縄の米海兵隊をハワイへ移したいと情熱的に語っていた。

アバクロンビー知事は、2014年の民主党知事候補予備選挙で沖縄県系3世のディビッド・イゲ氏に負け、知事を退任したが、沖縄米軍基地問題解決に寄せたバイタリティ溢れる議会活動、その後の活動に心から感謝している。

第11章　ハワイからアメリカ大陸周遊の旅

1. 豊かさと人種差別、貧富の差拡大を実感

　1964年3月22日、私はハワイ大学留学期間終了前に、東西センターの配慮で米国全土40日間、グレイハウンドバスを利用し主要都市、主要大学視察の旅に出た。

　ハワイからサンフランシスコに到着、全米から5000人参加の教育学会に2日間参加した。全体会議の大ホールは満席で参加者の殆どが白人、私の席の周囲も白人ばかりで異様な感がした。分科会で大半のパネリストが女性であることに、米国が民主国家で男女平等社会であることを実感した。

　サンフランシスコを起点に米本国全土、主要都市訪問の旅はスタートした。訪問滞在の主な都市は、サンフランシスコ、ロサンゼルス、アルバカーキ、セントルイス、ワシントン、ニューヨーク、ボストン、バファロ、シカゴ、ソルトレイクシティ。

　サンフランシスコ、ロサンゼルス、ワシントン、ニューヨークを除く都市ではアメリカ・フレンドシップ・アソシエイションの協力により2泊3日のホームステイをさせていただき各家庭で大変世話になった。

　ホームステイ先では滞在期間中に、それぞれの都市の名所、旧跡、美術館、博物館などを案内いただき、米国の歴史文化への理解と見聞を広める機会を得た。ホームステイを通して米国の生活習慣、風習を学ぶ機会も得た。滞在先の家主の職業は、弁護士、大学教授、医師、セールスマンなど中流階級の人々で大変親切に対応いただいた。滞在先の家庭で「このような外国人ホームステイボランテイア活動で得られるものは何か」と尋ねたら、ホームステイした外国人が米国をよく理解し帰国していただければ幸いだと答えていた。滞在先家族の一人ひとりの厚意に深く感謝した。

　ロサンゼルスでは、私が同郷とのことで沖縄羽地村出身の仲村権五郎

氏、翁長良彦氏ら15人の羽地村出身の方々による歓迎夕食会に招かれ、懇親を深めた。また、皆さんの米国での生活情報を得る大変有意義な機会となった。夕食懇談会終了後に6人の方々が私の宿泊先の翁長氏経営のホテルに立ち寄り、午前2時まで懇談した。その折、めったに2次会まで参加することのないと言われていた仲村権五郎氏が参加され、私の厳しい沖縄問題の質問に丁寧に答えていただいた。また、ワシントンでは羽地村出身で先輩の島庄寛氏宅に2泊し、同氏の米国生活の体験談を詳しく伺うと共にワシントン市内を案内いただいた。

　一方、私は、琉球大学学生部の職員として現職での留学だったので、帰国して大学行政に役立つよう、米国の主要大学を視察した。カリフォルニア大学、カリフォルニア大学ロサンゼルス校、セントルイスのワシントン大学、ジョージタウン大学、ハーバード大学、ミシガン州立大学、シカゴ大学、ユタ州立大学等の施設視察など職員に案内いただいた。ハーバード大学では博士課程に留学中の沖縄出身、比嘉太郎氏夫人の従兄の比嘉正範氏にキャンパスを案内いただき、世界トップの大学見学に強い印象と深い感動を覚えた。

　アメリカ大陸を横断しながら色々な体験と新たな発見をした。バスの窓から眺めるアメリカ大陸は、あまりに広大で、草原には牛が放牧され、地下からは石油を汲み上げている光景に接し、米国の豊かさを実感した。

　広大な米大陸の光景に魅せられながら、小学校時代に体験した戦場を思い浮かべ、日本はこのような豊かな国とよくも無謀な戦争をしたものだと戦中の日本のリーダーへの怒りが込み上げてきた。

　1960年代の米国は豊かさを謳歌している時代で、都市では高速道路が縦横に延び、超スピードの乗用車が溢れていた。その光景を見て、50年後に日本車がアメリカの高速道路を走る時代が来るだろうかとの思いに駆られた。

　一方、黒人と白人の対立が激しさを増し、都市の市街地に黒人が移り住み白人は郊外へと移動しつつある時代だった。

　ワシントンを訪れたのは4月初旬、ポトマック河畔の桜が満開で桜祭

りの大パレードが賑やかに開催されていた。また、その前年に暗殺された
ジョン・F・ケネディ大統領のアーリントン墓地のお墓を訪ね、合掌
した。ワシントンで桜祭りを見てニューヨークへバスで着いた時には夜
中だった。治安上の不安はなく、宿泊先のホテルを歩いて探しまわっ
た。翌日には、早速エンパイヤービルに立ち寄り最上階から林立するマ
ンハッタンのビル群を眺めた。

　私は豊かなアメリカと貧困のアメリカ両サイドを見たいとの思いから
シカゴではスラム街にも身の危険を感じながら入り、状況を見て回った。

　デトロイトでは、世界の自動車産業のリーダー、フォードの本社を見
学した。

　米国の各都市を回り帰路は、シカゴから農業地帯のオマハを経て、雪
のロッキー山脈を越えソルトレイクシティへ。美しい山々、塩で白く輝
く湖、美しい大学のキャンパス、豪勢なモルモン教本部など見学し、大
陸旅行の終点サンフランシスコへ。米大陸の旅から40日ぶりにハワイ
に戻った。思い出深い充実したアメリカ大陸視察旅行であった。

　帰国後に、羽地出身の著名人、ロサンゼルスの仲村権五郎氏、ワシン
トンの島圧寛氏らの米国での活躍状況を那覇近郊羽地郷友会で報告し、
皆さんに、大きな関心を寄せていただき、喜ばれた。

ニューヨーク港自由の女神を望む
著者・ハワイ大学留学中
1964年4月13日

2. 日系人の生活擁護に多大の尽力

元米国中央日本人会長
仲村権五郎

　1964年3月27日、私は、サンフランシスコからロサンゼルスに到着し、早速宿泊先のホテルから私の郷里羽地村出身で大先輩の仲村権五郎氏に電話をかけた。しばらくして恰幅の良い仲村氏が私のホテルへ来られ唐突にも私にホテルの宿泊をキャンセル、旅行バッグを仲村氏の車に乗せるよう指示され、度肝を抜かれた。初対面の仲村氏に連れて行かれた先は、同郷の翁長良彦氏経営のホテルだった。仲村氏は翁長氏に、しばらく私の面倒を見るようにと依頼された。私は翁長氏のホテルに3日間滞在し、その間ディズニーランドなど案内いただき大変お世話になった。

　ロス滞在2日目に仲村氏をはじめ15人の同郷の方々が私の歓迎会を中華料理店で開催した。宴会終了後に参加者のうち6人が2台の車に分乗し、繁華街を見て回った後、翁長氏のホテルへ行き懇談した。その折、仲村氏が宴会の1次会以降まで残ることは殆どないと聞き、同郷の後輩である私への配慮と受け止め、深く感謝した。

　仲村氏については、1961年頃に、米軍占領下の在沖縄米軍の最高司令官、高等弁務官候補との噂があった。以前から仲村氏の高名と戦前戦後のロスでの活躍については良く耳にしていたので、私は仲村氏に是非お会いし、米軍による沖縄統治への見解を直接聴きたいとの強い思いを抱いていた。

　仲村氏は、1890年羽地村古我地に生まれ、ハワイに移住し、その後ロサンゼルスへ転住。ロサンゼルスでは米国人家庭に書生として働きながら苦学の末、南カリフォルニア大学法科を卒業、1924年、ロサンゼルスで仲村法律事務所を開設。その年、移民制限法が成立し、仲村氏は、「排日土地法」、「排日移民法」関連の諸問題の対策に奔走したとのこと。

　また、日米開戦前に中央日本人会長として開戦回避に向け奮闘したが、その活動のため強制収容所へ送られた。戦後は法律事務所を再開し、米国に収容されているペルー日本人移民が日本に強制送還されないよう活動したり、在米沖縄救援連盟の中心的役割を担った。仲村氏は米国の法律の専門家として、戦前戦後にわたり移民の生活権擁護に生涯を捧げた米国日本人移民の代表的な指導者であった。

　このような偉大な方に20代の若造の私は二つの課題を投げかけ激論を交わした。まず、私は、米国へ来ての感想を述べた。米国人が大変親切で、外国人に対しても平等に振る舞い、多民族構成による民主国家の姿を見る思いがした。ところが、沖縄の米軍支配下では米軍による土地接収、事件事故の多発など、植民地的支配がなされ、米国で見る米国民と沖縄の米軍とは、同じ米国民でも大きな隔たりがあるとの印象をストレートに述べた。私の意見に対し仲村氏は「米軍は、民主国家の軍隊として補償など、きちんと対応しているはずだ」と反論されたが、これに対し私は、補償で済むことではない。住民の心情を無視し、布令、布告により自治権も認められていない。植民地的占領政策だと強調した。仲村氏は専門的立場から論理を展開され、2人の激論が続いた。

　その間、同席の誰一人として口を挟まなかったのは、仲村氏の権威と尊敬の念からであったであろう。議論が深まるにつれ、仲村氏は、ついに激高し「君はもっと米国の民主主義が何たるかを学んで帰れ」と強い口調で話された。

　もう一つの課題はサンフランシスコ条約による沖縄への不平等についてであった。沖縄は、太平洋戦争により廃墟と化し、多大の犠牲を被った。その上、戦後日本が独立するにあたり、サンフランシスコ条約により沖縄は日本本土から切り離され米軍の占領下に置かれた。沖縄の人々は日本政府に対し許しがたい不満を持っていると主張した。

　これに対し、仲村氏は「私はサンフランシスコ会議の折、会場にいた。サンフランシスコ条約締結に当り各国から根強い日本分割論があった。それを、ダレス米国全権大使が各国代表に個別に会い説得し、やっ

と奄美大島以南を切り離すことにより日本の独立が認められた。その時、吉田茂全権大使は涙を流して喜んだ。もし私の話が嘘だと思うなら吉田氏宛に紹介状を書くので吉田氏に会って事実を確認しなさい。」と当時、吉田氏は大磯邸に隠居されていた。その後、私は何度か吉田邸前を通る機会があった。吉田氏への紹介状をお願いすればよかったと大変後悔している。

　仲村氏と私の議論は、午前2時まで続いた。その翌朝、仲村氏は血圧が高くなり病院へ行かれたと聞き大変恐縮した。午後になって、仲村氏から母校の大学を見せたいとの電話があり、ホテルへ来られ案内いただいた。元気なお姿にホッとした。

　郷里の大先輩、仲村氏に若造が遠慮なく議論をし、多大な教えを請うた米国の旅であった。最後に、仲村氏は、世界で一番好きな場所は羽地村古我地と故郷への郷愁を語っておられた。

羽地村出身者による著者の歓迎夕食会
前列右より2人目、仲村権五郎氏、後列右、著者・ハワイ大学留学中
ロサンゼルス、1964年3月28日

3.　米国政府は「強力な要請でないと動かない」

ワシントンの日系人リーダー
島庄寛

　ワシントン在住の島庄寛氏が老衰のため 2002 年 12 月 14 日に逝去された。

　当日、ワシントンの私の友人から知らせの電話が入った。1 カ月前に、友人に島さんの健康状態を尋ねたばかりだった。

　私が、初めて、ワシントンで島さんにお会いしたのは、38 年前の 1964 年 4 月で、ワシントンは桜の花が満開だった。

　当時、私は、ハワイ大学への留学を終え、40 日間バスで米国各地を旅していた。その折、米国在住の沖縄出身の先輩を訪ね米国での生活体験や沖縄の米軍統治に関するご意見をうかがった。ワシントンでは、島さん宅に 2 泊させていただき、特に私が同郷の羽地村の出身とのことで大変お世話になった。

　当時、島さんは、ワシントンの目抜き通りでレストランを経営しておられた。ご多忙の中をワシントンの各名所を車で案内いただいた。晩は、2 日間、島さんの生活体験、沖縄の米軍統治へのご意見をうかがった。

　島さんは、14 歳の時に父、兄を頼ってハワイへ移民、その後、米本国に夢を求め、ワシントンへ移られた。職探しの最中に日本大使館のパーティーで上院議員で実業家のジョン・ヘンダーソン氏に出会った。ヘンダーソン氏に認められ同氏宅で働くようになった。その後、高い信頼を得て、資産管理の秘書長になった。ヘンダーソン氏は、銀行、鉄道、鉱山などを有する大富豪で、母親のメアリー氏は、上流社交界で活躍しておられた。

　ジョン氏やメアリー氏が亡くなられた後、島さんは、20 万ドルの莫大な遺産を受けた。島さんのワシントンでの夢のような生活体験をうか

がいながら私は、深い感動を覚えた。

　沖縄の米軍基地問題については、当時、沖縄と類似のプエルトリコにおける住民の激しい米軍基地闘争に触れられ、沖縄側の要請活動との比較で語っておられた。

　世界の大国、米国は、余程インパクトのある強力な要請行動でないと動かないと具体的な手法も含め語っておられた。また、島さんは、米国務省の職員を夕食に招いて、私に、その職員と語る機会を与えてくださった。

　あれから30年後に私は沖縄県知事公室長、政策調整監に就任、米軍基地問題を担当し、知事同行・単独で米国政府への要請を行った。

　そのたびに、私の脳裏には、島さんが語っておられた米側への対応の仕方が浮かんできた。訪米の際、時折、島さんをお訪ねした。

　島さんのワシントンにおける活躍、沖縄の日本復帰の米政府への要請、沖縄からの留学生、国民指導員の世話など、そのご尽力が高く評価され、大田昌秀知事（当時）が訪米要請で米国を訪問した折、島さんの自宅を訪ね感謝状を贈呈した。

　島さんは、5年前に夫人と共に沖縄を訪問された。出身地の那覇近郊羽地郷友会では、歓迎会を催し、その席上、私が島さんのワシントンでのご活躍の状況を紹介した。

　生前の島さんのご指導に感謝し、心からご冥福を祈りたい。

（琉球新報2002年12月26日）

那覇近郊羽地郷友会による島庄寛氏夫妻（2列目中央）の歓迎会
前列左から3人目、著者・那覇近郊羽地郷友会長、那覇市内、都ホテル、1997年

第12章　ミュージカル「海から豚がやってきた」

1．ハワイ公演の成功に期待

　ミュージカル「海から豚がやってきた」のハワイ公演を前に、2004年4月11日に具志川市民芸術劇場で壮行公演が開催された。その公演を見て、私は深い感動を覚えた。

　舞台での熱演に魅せられながら、私の脳裏には、42年前、ハワイでお会いし、インタビューした豚輸送にかかわった方々の明るい笑顔が浮かんできた。

　当時、沖縄は貧しい戦後の復興期だったが、ハワイ沖縄移民は、豊かな経済社会の中で立派な生活基盤を築き、各分野でリーダーとして活躍していた。そのような状況を見て私は、沖縄移民の足跡が知りたいと思い、1世のリーダーの方々にインタビューを行った。

　その中で、終戦直後の大々的な救援運動についても伺った。それらの詳細については「ハワイ沖縄移民65周年」と題して、沖縄タイムスに7回にわたって連載させていただいた。

　沖縄の救済活動の一環として豚輸送があった。

　沖縄救済会（会長・金城善助医師）では、豚を贈る大々的な募金活動を行った。5万ドルの救援金が集まったので、豚の購入、豚輸送にあたる7人の世話人を決定した。

　豚の輸送世話人には、山城義雄氏（獣医）、渡名喜元美氏（園芸家）、仲間牛吉氏（養豚業）、島袋真栄氏（商業）、上江洲易男氏（経営者）、宮里昌平氏（旅行業者）、安慶名良信氏（レストラン経営者）があたることになった。

　一行は、サンフランシスコへ行き、豚を購入し、軍船を借用、1948年8月31日に沖縄へ向かった。

　途中、大シケに遭い、豚箱は、めちゃめちゃに壊れ、豚は甲板を右往左往した。

　一行は、シケによる豚の大損失を案じ、失望感に襲われ、その夜は、まんじりともしなかった。シケはおさまり、2匹の豚の軽いけがだけですんだ。一行は、安堵と疲労で、船に酔った。苦しい船酔いに耐えながら、船底から甲板へ豚の飼料を運んだ。あまりのきつさに、何の罪を背負い、この仕事を引き受けたのかと後悔することもしばしばあった。

　また、当時は、旧日本軍の機雷が、太平洋上を漂流し、危険な状況に遭遇しながらの航海であった。

　ポートランドをたって1カ月近い、9月27日に遠くに島影が見え、沖縄本島と確認した時には、全員が甲板でお互いに手を固く握りしめ、男泣きに泣いた。とめどなく、涙が流れてきた。

　ホワイトビーチでは、時の民政府工務部長松岡政保氏らが、一行を出迎えた。

　あれから55年、ハワイの人たちに感謝の意を伝えるため、このミュージカルが企画されハワイ公演とのこと。

　ハワイでは、すでに日本語放送局KZOOの宇良啓子アナが放送で、このミュージカル公演を数回紹介している。

　ハワイ沖縄県系人の郷里沖縄に寄せる思いは、極めて熱いものがある。ハワイの人々への感謝の公演が大きく成功することを祈る。

（沖縄タイムス　2004年4月30日）

2. 盛り上がるロサンゼルス公演

　ミュージカル「海から豚がやってきた」は、沖縄で6回公演した。昨年のハワイ公演でも大成功を収め、県内、ハワイの人々に深い感銘を与えた。

　今回、北米WUBを中心に県系人の強い招請で、2005年6月26日にロサンゼルスで公演がある。

　ロスでの公演は、すでに現地で大きく報道され、人々の関心は高く、2,000人収容の劇場の入場券は、完売に近いとのことである。

　このミュージカルを見るたびに、私の脳裏には43年前、ハワイでお会いし、インタビューした豚輸送にかかわった方々の明るい笑顔が浮かんでくる。

　今から43年前、私はハワイの沖縄移民の方々が、豊かな米国で安定した生活基盤を築き、各分野で活躍している姿に感動し、移民の足跡をたどる1世へのインタビューを行った。その中で終戦直後の沖縄への大々的な救援活動や豚輸送についてもうかがった。

　沖縄救済会（会長・金城善助医師）では、沖縄の復興には、豚は不可欠として豚を送る募金活動を展開した。5万ドルの救援金も集まり、豚の購入、豚の輸送にあたる7人の世話人を決定した。

　豚の輸送世話人には山城義雄氏（獣医）、渡名喜元美氏（園芸家）、仲間牛吉氏（養豚業）、島袋真栄氏（商業）、上江洲易男氏（経営者）、宮里昌平氏（旅行業）、安慶名良信氏（レストラン経営）があたることになった。

　一行はサンフランシスコへ行き、豚550匹を購入、軍船を借用し、1948年8月31日に沖縄へ向かった。

　途中大時化に遭い、豚箱はめちゃめちゃに壊れ、豚は甲板を右往左往した。一行は時化による豚の大損失を案じ、失望感に襲われ、その夜は、まんじりともしなかった。時化は収まり、2匹の豚の軽いけがだけですんだ。一行は安堵と疲労で、船に酔った。苦しい船酔いに耐えながら、

船底から甲板へ豚の飼料を運んだ。あまりのきつさに、何の罪を背負い、この仕事を引き受けたのか、と後悔することもしばしばあった。

　また、当時は旧日本軍の機雷が太平洋上を漂流し、極めて危険な状況に遭遇しながらの航海であった。

　米国をたって1カ月近い9月27日に遠くに島影が見え、沖縄本島と確認した時には、全員が甲板でお互いに手を固く握りしめ、男泣きに泣いた。とめどなく涙が流れてきた。ホワイトビーチでは、民政府工務部長松岡政保氏らが一行を出迎えた。

　ロス公演実行委員会では、琉球新報社の特別協力のもと、約60人の出演者派遣費捻出に取り組んでおり、引き続き多くの企業、個人の協力をお願いしたい。

　あれから57年、戦争で廃虚と化した沖縄経済に多大の支援をしていただいたハワイ沖縄県系人に県民が等しく感謝し、このロス公演を大きく成功させたい。

（琉球新報　2005年6月18日）

ミュージカル「海から豚」ロス公演
エルカミーノカレッジ・マーシーシアター
2005年6月26日（浜端良光氏提供）

3. さらなる展開と公演の成功を願う

　ミュージカル「海から豚がやって来た」は、沖縄で 6 回公演、昨年の
ハワイ公演、そして今年 6 月 26 日には米国ロサンゼルスで公演し大好
評を博した。今回のロス公演は、北米 WUB（世界沖縄県系人ビジネス・
アソシエーション）を中心に北米沖縄県系人の強い招請を受けての開催
で、2,000 人の観客に深い感動を与え大きな成功を収めた。ご協力いた
だいた皆さんに深く感謝したい。

　このミュージカルは、1948 年、戦争で焦土と化した沖縄救済のため
郷土愛に燃えたハワイ沖縄県系人 7 人の勇士が幾多の困難な状況を乗り
越え、米国から沖縄に 550 頭の豚を送り届けた史実に基づく物語である。
このミュージカルを見るたびに、私の脳裏には 43 年前、ハワイでお会
いしインタビューした豚輸送にかかわった方々の明るい笑顔が浮かんで
くる。

　豚の輸送には、山城義雄氏（獣医）渡名喜元美氏（園芸家）仲間牛吉
氏（養豚業）島袋真栄氏（商業）上江洲易男氏（経営者）宮里昌平氏（旅
行業）安慶名良信氏（レストラン経営）の 7 人が当たった。一行は、米
本国に渡りハワイ沖縄救済会が募金した 5 万ドルで購入した豚 550 頭を
米軍用船に載せ 1948 年 8 月 31 日に沖縄へ向かった。

　途中、太平洋上で大しけに遭ったり、浮遊する旧日本軍の機雷に遭遇
したり、極めて危険で困難な状況に直面。米国をたって 1 カ月近い 9 月
27 日、遠くに沖縄本島の島影を確認した時には、全員が甲板に出て互
いに手を固く握りしめ男泣きした。やっと豚を送り届けることができる
安堵の念で、とめどなく涙が流れてきた。

　6、7 の両日には、宜野湾市民会館で、宜野湾市の子どもたちの出演
参加も得てロス公演の凱旋公演が開催される。県では、この宜野湾公演
を来年開催の「第 4 回世界のウチナーンチュ大会」プレイベントと位置
付け支援し、さらに来年の本大会では、世界各国から沖縄に集うウチナー
ンチュに見てもらうため、開催支援を予定しているとのことである。「世

界ウチナーンチュ大会」での公演により、その評判は一層高まり、東京、大阪公演、さらには2008年ブラジルで開催のブラジル沖縄移民100周年、第2回世界ウチナーンチュ会議、世界 WUB 大会開催に際しても、県系人から派遣招請が予想される。

　このミュージカルは、海外県系人の郷土愛に燃えた象徴的な物語であり、世界のウチナーンチュのネットワーク強化にも大きな役割を果たし得るイベントである。うるま市、出演者のこれまでの取り組みに敬意を表し、今後、地域活性化の貴重なイベントとして対応を一層強化され、県や、各種機関の支援を得て、南米派遣など新たな展開を図ることを願いたい。

（沖縄タイムス　2005 年 8 月 5 日）

ミュージカル「海から豚」公演
沖縄での公演、盛況（浜端良光氏提供）

4. ハリウッドスター、タケイ氏に感謝

　ハリウッドで活躍する日系米国人俳優ジョージ・タケイさんが来沖し講演されたことを報道で知った。滞在期間が 2 日間と短かったようでお会いできなかったのが残念である。タケイさんには 2005 年 6 月 26 日にミュージカル「海から豚がやってきた」のロサンゼルス公演で特別出演していただき大変お世話になった。

　このミュージカルは旧具志川市が地域活性化事業の一環として創出し、沖縄県内で 6 回公演、ハワイでも公演し観客に深い感動を与えた。その内容は 1948 年、ハワイ沖縄県人が戦争で廃虚と化した沖縄の同胞を救おうと沖縄救援活動を展開、550 頭の豚を米本土で購入し、7 人の勇士が太平洋上に浮遊する旧日本軍の機雷や嵐に遭遇しながら、1 カ月の命懸けの航海を続け沖縄へ豚を届ける同胞愛あふれる物語である。

　このミュージカルのロス公演は WUB ロスの招請により実現した。団員 60 人と共に私は団長として公演に同行した。ロス公演では WUB ロス関係者の熱心な働き掛けにより、タケイさんがマッカーサー役で特別出演した。メーキャップはアーティストのカオリ・ナラ・ターナーさんが担当した。

　カミノ大学劇場での公演は 2000 人の観客に深い感動を与え、大変好評であった。タケイさんとは出演前後に控室で語らい、特別出演への感謝を申し上げた。タケイさんの熱演は今も忘れない。重ねて感謝申し上げ、ますますのご活躍を祈る。

（沖縄タイムス　2014 年 6 月 16 日）

第13章　ハワイ捕虜沖縄出身戦没者慰霊祭

1. ハワイ捕虜沖縄出身戦没者慰霊の旅へ

　2017年6月4日にハワイホノルル市の慈光園でハワイ捕虜沖縄出身戦没者の慰霊祭を開催する。この慰霊祭はハワイ沖縄連合会、慈光園（本願寺）の格別な協力により実施されるものである。

　昨年、2016年10月31日、第6回世界のウチナーンチュ大会終了の翌日、元ハワイ捕虜の渡口彦信氏から沖縄ハワイ協会会長の私に、ハワイ捕虜沖縄出身戦没者の慰霊祭をハワイで開催したい、協力してほしいとの強い要望があった。来沖中のハワイ沖縄連合会のジェーン・勢理客専務にも相談に乗っていただいた。

　その折、渡口氏は自らのハワイ捕虜体験やハワイ捕虜沖縄出身者3,000人のうち12人が病気、けがで亡くなったことなど切実な思いを語っておられた。渡口氏の体験を伺いながら、私はハワイで戦没された方々のみ霊が異郷の天空をさまよっているのではないかとの思いに駆られた。

　私は自らの沖縄戦での悲惨な戦争体験や「平和の礎」建立の責任者としての体験から、ハワイ捕虜沖縄出身戦没者の慰霊祭開催に熱い思いを寄せた。早速、渡口氏と共に沖縄ハワイ協会役員、遺族代表、関係者11人によるハワイ捕虜沖縄出身戦没者慰霊祭実行委員会を設置し、開催準備に入った。

　証言、資料によると捕虜は、1945年6、7月ごろに沖縄の屋嘉収容所からハワイに移送された。熾烈な沖縄戦を生き延び捕虜となり、行く先も知らされず、船に乗せられ、恐怖心におびえていた。ハワイ到着後、日がたつにつれ落ち着きを取り戻し、カンカラ三線を作り弾いたり、演芸会を披露するなど寂しさを紛らわした。ハワイ沖縄県系人の慰問、差し入れなど物心両面からの支援もあり捕虜の心は大きく癒やされた。

　今回慰霊祭が開催される慈光園は、私がハワイにいた1962年ごろは久米島出身の山里慈海氏が住職をされ、活躍しておられた。慈光園は長

年にわたり沖縄県系人の心のよりどころであり、ゆかりの深い寺である。戦争で廃虚と化した沖縄への支援物資集積所、集会所としても活用された。特に豚550頭の輸送で象徴されるようにハワイ沖縄県系人の同胞愛の絆は、今もなお、われわれ沖縄県民の心の中に強く息づいている。

　このたび、ハワイの人々と共にハワイ捕虜沖縄出身戦没者のみ霊の鎮魂と世界平和を祈願したい。併せて、戦没者12人の遺骨を見つける手掛かりに期待を寄せたい。

（沖縄タイムス　2017年5月9日）

慰霊祭出発壮行式（那覇空港）　2017年6月2日

2. 平和への道しるべ

　沖縄戦で捕虜となり、収容先のハワイで亡くなった県出身者を追悼する慰霊祭が6月4日、ホノルル市の慈光園で開催されることが決まり、脳裏にさまざまな思いがよみがえってきた。

渡口氏からの依頼

　元捕虜で共同代表の渡口彦信氏から慰霊祭開催の依頼を受けたのは2016年10月31日、第6回世界のウチナーンチュ大会終了の翌日だった。第6回大会には、ハワイから県系3世のディビッド・イゲ知事を先頭に1800人余が参加し、大会を大いに盛り上げた。大会に伴いハワイ沖縄連合会のジェーン・勢理客専務理事も来県しており、共に渡口氏と会うことになった。

　渡口氏は自らの捕虜体験を語り、その胸の内の熱い思いも告げた。「沖縄出身捕虜3,000人余のうち、12人が病気、けがで亡くなった。戦後70年余が経過した今日まで、遺骨は遺族の元に帰っていないだけでなく、慰霊祭すら開催されていない。私も90歳になった。捕虜の1人として、存命中に何とか慰霊祭をハワイで実施したい」

　貴重な捕虜体験、そして戦没者への切実な思いを聞き、私は思った。ハワイで亡くなった人々のみ霊が、いまだ異郷の地で癒やされることなく天空をさまよっているのではないかと。

　1945年の沖縄戦で、私は10歳だった。沖縄本島北部で、撤退する日本軍を追いかけるように戦場をさまよい、悲惨な体験も味わった。戦後は県庁に勤め、「平和の礎」建立事業の責任者でもあったことなどから、私自身も平和と戦没者の鎮魂に対する熱い思いを持っている。渡口氏の提案した慰霊祭をぜひ実現しなければと決意を新たにした。

　勢理客氏も同じ思いを抱いたようで、後日、ハワイ沖縄連合会も、正式に協力を了解した。

　渡口氏と私が共同代表となり、沖縄ハワイ協会役員、亡くなった捕虜

の遺族代表や関係者など11人で実行委員会を立ち上げた。

心癒やす三線

　実行委は亡くなった捕虜の身元調査や遺族捜し、現地の情報収集、沖縄に復員できた元捕虜の証言収集などに取り組んだ。

　これらの元捕虜の証言や市町村史などによると、県人捕虜は1945年6、7月ごろに屋嘉収容所からハワイに移送された。ハワイの捕虜収容所はホノルル市を抱えるオアフ島だけでなく、ハワイ島ヒロにもあったとされた。一部の捕虜は、ハワイから米本土にも移送された。

　捕虜たちはハワイに移送された当初、米軍に殺されるのではないかとおびえていた。ハワイの収容所に到着して日も経過し、殺されることがないと分かると、安ど感を取り戻していった。捕虜の中にはカンカラ三線を弾き心を癒やし、演芸大会を開催しては命の祝いをした。収容所にはハワイに暮らす県系人が慰問し、同胞愛に満ちた物心両面から支え、捕虜の心をさらに癒やした。

　県系人からは本物の三線の差し入れもあり、演奏会を一層盛り上げたという。ハワイ沖縄連合会救済会のリーダーの嘉数亀助さんが、本物の三線を差し入れていたことも慰霊祭実行委員会の調査で明らかになった。嘉数さんは、戦後の沖縄の食料危機を救うためハワイから沖縄に豚550匹が贈られた計画の立役者の1人だ。

　この三線を現在、嘉数さんのおい、進さん＝糸満市＝が所有している。三線は6月に再び海を渡り、人間国宝の照喜名朝一さんが慰霊祭で演奏することになっている。

　ところで、なぜ沖縄戦における県人捕虜3,000人余がハワイに移送されたのか。その理由は戦後72年余を経た今日でも明らかになっておらず、沖縄戦史における謎の一つといえるだろう。

ゆかりの地訪問

　慰霊祭はホノルル市の慈光園で開催される。慈光園はハワイの県系人

にとって大変ゆかりの深い寺だ。1962年ごろ、久米島出身の山里慈海氏が住職だった。慈光園は県系人の心のよりどころとして、各種集会の開催場所などに幅広く活用されてきた。終戦直後のハワイにおける沖縄救援の大運動が展開された時、救援物資の集積所、集会所としても大きな役割を果たした。

現慈光園の西山真道住職ご家族が2016年12月、来沖する機会もあった。慈光園における慰霊祭開催を打診したところ、快諾をいただいた。また、各種許可の手続きに関して、ハワイ沖縄連合会から多大な協力をいただいている。

今回の慰霊祭には沖縄県知事をはじめ、イゲ州知事、ホノルル市長、ホノルル日本総領事、ハワイ沖縄連合会長をはじめとした県系人など多数の参列をお願いしている。

日米間の戦争によって、沖縄とハワイの家族、友人同士は戦場で敵として向き合うなど翻弄された。戦後72年となる慰霊祭開催は、悲惨な戦争の記憶を次世代にきちんと継承することに加え、沖縄とハワイ、日米の関係をさらに前進、発展させる上で、意義あるものになるだろう。平和への道しるべになると信じている。

慰霊祭の趣旨に賛同した県内の各企業や団体、個人からも募金などの支援をいただいているところで、あらためて厚くお礼を申し上げたい。

現在、県内でも慰霊祭への参加者をツアー形式で募っている。慰霊祭以外にも、収容所跡地など捕虜とゆかりのある場所を巡る予定だ。歴史を見詰め、新たな次代につなぐためにも、ぜひ多くの方々にも参加してほしい。

（琉球新報　2017年4月11日）

第14章　世界ネットWUBの創設

1．WUB20 周年記念大会を盛大に開催

　1996 年の夏に、ハワイ沖縄県系 2 世で私の友人のロバート・仲宗根氏とエドワード・久場氏が沖縄県保証協会に私を訪ねてきた。私は 1996 年 3 月に沖縄県の政策調整監を退任し、同年 4 月から沖縄県保証協会の会長に就任していた。

　2 人が私を訪ねてきたのは、これから世界ウチナーンチュ・ビジネス・アソシエイション（World Wide Uchinanchu Business Association）を創設したいので意見を聞きたいとのことであった。その前年に開催の第 2 回世界のウチナーンチュ大会には、私は沖縄県の政策調整監として開催に大きく関わってきた。それだけに私の意見を求めてきたのであった。その後 2 人は私だけでなく、多くの関係者から意見を聞いたようだ。

　1995 年にハワイでハワイウチナーンチュビジネスアソシエイション（HUB）が設立された。その後 WUB 設立へと移行した。

　仲宗根氏によると琉球銀行の中山吉一頭取が、かって東西センターの研修生として東西センターに世話になったことから、東西センター支援金として 1997 年に 500 万円の寄付をした。この寄付金贈呈は頭取室で行われ、私も東西センター沖縄同窓会長として立ち会った。琉球銀行からの寄付金を受けた東西センターの角田賢治総長は、この資金をウチナーンチュのために活用してはと仲宗根氏に提案した。

　仲宗根氏らは、その資金の一部を WUB 創設に活用した。仲宗根氏らは、南米、米国本土、アジア各地のウチナーンチュリーダーと情報交換し WUB を設立した。その後、それぞれの国、地域で毎年 WUB 世界大会を開催し、相互交流、情報交換に努め、組織強化を図ってきた。

　2017 年 9 月 1 日に WUB20 周年記念大会がホノルル市の日本文化センターで開催され、世界の 10 カ国・地域から約 300 人が大会に参加し連携を強化した。

　私もこれまでに、沖縄大会、ロサンゼルス大会、ボリビア大会に参加し、会員との交流を深めた。ロサンゼルス大会で私は「沖縄の将来展望」につてのスピーチをし、WUB大会への協力者として当時の仲宗根WUB会長から感謝状をいただいた。

　WUBは仲宗根氏、久場氏、ジョン・田里氏の3人、トリオの協力で推進されてきた。

　なお、海外県人会の中にはWUBの創設に伴い当初は県人会が二分されるのではないかと懸念する役員の声もあった。WUBは沖縄を起点とする世界ネットワークであり今後益々の発展を期待したい。

WUBロサンゼルス大会表彰式
左より3人目、感謝状を受けた著者・東西センター沖縄同窓会長
2002年

2. WUB 創設、推進のトリオ

元ハワイ日系人連合協会会長
ロバート・仲宗根

　ロバート・仲宗根氏は、1959 年 MIT（マサチューセッツ工科大学）を卒業し、エリートコースを歩んできた。ニューヨークで企業に就職後、東京の米国企業に 4 年間勤務、その後米国の大学院で 2 カ年商学を学んだ。

　1972 年に再び東京の米国企業に就職し、12 年間勤務した後、米国本社勤務に異動、それまで、前後 16 年間、東京で勤務した。

　1985 年に、ハワイに戻り、証券会社に就職した。かって父親からハワイの沖縄コミュニティのために働くよう勧められていた。

　1986 年にハワイ沖縄連合会会長のエドワード・久場氏と知り合うようになった。当時ハワイ沖縄連合会では、ハワイ沖縄センター建設の準備に入っていた。久場氏の依頼により沖縄センター建設の募金委員長となり、多くのウチナーンチュと出会い、次第にウチナーンチュのチムグクルが培われてきた。久場会長と一緒に沖縄県を数回訪問し、県知事、市町村長、企業、団体などにハワイ沖縄センター建設募金協力を要請した。

　1989 年から 2 年間、沖縄連合会の専務理事を務めた。その後、銀行勤務などを経て、1995 年にハワイ日系人連合協会会長に就任し、日系人連合会発展に寄与した。

　HUB そして WUB の設立、ハワイ大学と琉球大学の交流推進協力支援、ハワイ大学沖縄研究センター設立支援、東西センター沖縄担当局長として小渕奨学制度創設に貢献した。

　2003 年には、ハワイ大学と琉球大学の交流支援が評価され琉球大学から名誉博士号が授与された。2006 年には、WUB 設立、国際交流への貢献等で琉球新報社から琉球新報賞が授与された。

弁護士、元ハワイ大学理事
エドワード・久場

　エドワード・久場氏もエリートコースを歩んだ１人である。カリフォルニア大学工学部大学院を修了。さらにボストン大学で学び、法学博士号を取得。ニューヨーク弁護士会に３年間所属、1979年からハワイ弁護士会員としてハワイで活躍。

　ボストンでの学生時代にイタリア系米国人や欧州系の米国人から、それぞれのアイデンティティの大事さを学んだ。ハワイに戻って、勤務の傍ら、首里市人会活動に参加。

　1983年に初めて沖縄を訪問、以来50回以上沖縄訪問を重ね、多くの人々との交流を深めてきた。1986年にハワイ沖縄連合会の会長に就任。1987年にはハワイ沖縄センターの建設資金造成委員長に就任。数度にわたり沖縄を訪問し、沖縄県、市町村、企業、団体を訪ね沖縄センター建設への募金協力を要請した。

　1987年に同氏の業績、学識、人格が高く評価されハワイ大学理事に選任され２期８年務めた。その間に、ハワイ大学と琉球大学の姉妹提携、ハワイ大学ヒロ校と名桜大学の姉妹提携に努めた。ハワイ大学沖縄研究センターの設置にも大きく貢献した。久場氏の長年にわたるハワイ大学と琉球大学の交流支援への功績が高く評価され、2003年に琉球大学から名誉博士号が授与された。1992年に沖縄県の民間大使に任命され、活躍した。

　2018年には沖縄県民の大半が反対する辺野古の新基地建設反対の意思表示のため、ハワイウチナーンチュ150人が200のレイをつくり、辺野古で座り込みの人々にレイを送り激励した。米軍基地に反対でなく、民主主義でない基地負担の不公平さに反対と意思を表明している。久場氏の沖縄への郷土愛、同胞愛は益々強い。

東西センター沖縄プロジェクト責任者
ジョン・田里

　ジョン・田里氏は宜野湾市出身の 2 世で、元 HUB の会長、2019 年の WUB の副会長である。1989 年にはハワイ沖縄連合会会長としてハワイ沖縄センターの建設に取り組んだ。ハワイ沖縄センター入口右側に当山久三翁の銅像と金武町（吉田勝己町長）から運ばれた記念石が建立されている。この記念碑の建立に田里氏は多大の貢献をした。

　2016 年 9 月 3 日に琉球の茶道あけしの会（家元　田中千恵子）がハワイの当山久三翁の墓前に献茶した。その折、田里氏は当山久三翁の墓建立にも関わっており、積極的に準備に協力していた。私も参加し、献茶の前に沖縄ハワイ協会会長としてハワイ沖縄移民の今日の発展ぶりを当山久三翁墓前に報告した。

　田里氏はハワイ大学を卒業後、米陸軍に入隊し、パラシュート部隊員として勤務した。陸軍退役後、通信技術の専門家として米軍の業務を請け負い日本・韓国、アジアを中心に通信業務に取り組んできた。

　現在の沖縄の米軍基地については、日本全国と比較して沖縄が過重負担を強いられているとして、辺野古新基地建設に反対し座り込みの人々を激励した。

　一度、普天間基地に正門から堂々と入り滑走路の真ん中で、そこが先祖の土地だとして平和の祈りを捧げたことがある。驚いたガードマン 2 人が駆け寄り捕まえようとした。その時、田里氏は「私は米国人だ、ここの土地は私の先祖の土地だ」と説いたとのエピソードがある。

　田里氏はウチナーンチュアイデンティティを内に秘め、こよなく沖縄を愛するハワイウチナーンチュである。ハワイ沖縄センターで活動して

いるハワイ沖縄家系図研究会を共同で設立し、初代会長を務めた。家系図研究会は 2018 年に沖縄を訪問し、沖縄県立図書館と連携し調査するなど活発な活動を行っている。

　田里氏は、現在、2000 年九州沖縄サミットを機にスタートした小渕沖縄教育研究プログラムを担当するなど、東西センターで沖縄の次世代留学生の育成に取り組み活躍している。

　田里氏の沖縄への思い、愛郷心は一段と強いものがある。

WUBボリビア大会
エドワード・久場氏（右）、著者・東西センター沖縄同窓会長（左）
2002年10月11日

第15章　各種交流事業の推進

1．KZOO 放送 55 周年を祝う

2018 年 10 月 28 日、KZOO ラジオ 55 周年記念イベント「GOGO KZOO International Karaoke Festival」がシェラトンワイキキホテルで盛大に開催された。

会場は 1000 人の観客と大勢の出演者の熱気で満ちていた。このイベントは、KZOO 放送勤務 55 年のベテランアナウンサー宇良啓子さんが、アナウンス人生の集大成として 2 年がかりで企画・演出した一大イベントであった。

メインイベントの国際カラオケ大会は、米国本土・ハワイ、日本国内、沖縄から 46 人の出場者が参加、大きな盛り上がりを見せた。

私は、KZOO 放送に長年関わりがあることから、同様に関わりの深い沖縄ハワイ協会副会長の宜野座朝美氏と共にカラオケ大会審査員 16 人の 1 人として招待を受け審査に加わった。

カラオケ大会第 1 部は、日本からの部、アメリカ本土からの部、ハワイのジュニアの部で進められた。1 部と 2 部のインターミッションでは「芭蕉布」の舞踊が 3 人の舞踊家によりフラ、日本舞踊、琉球舞踊の同時演舞で優雅に披露された。フラの智恵子・ドウさん、琉球舞踊の志田真木さん、日本舞踊のセリ・田村さん三人三様の踊りが華やかな情緒を醸していた。バックミュージックはジェイク・島袋、歌をキャロル・島袋で盛り上げた。カラオケ大会 2 部はハワイのシニア部門、ハワイのアダルト部門へと続いた。

カラオケ終了後の審査中に第 37 回グランドチャンピオンのジェフ・佐藤氏のカラオケ、そして特別ゲストの歌が続いた。

さらに、このイベント前日にハワイ沖縄センターで開催のハワイ沖縄プラザ建設募金チャリテイー志田房子師匠一行の公演に出演の若手舞踊家の踊りが披露された。カラオケ大会終了後に KZOO 放送のアナウン

サーがファッションショーを兼ね紹介され、日頃の放送番組の取り組み
が大きくクローズアップされた。

　圧巻は日本舞踊界のプリンスと称される花園直道氏の日舞ショーで
あった。新感覚で斬新な日本舞踊を目指し、海外公演でも多大の評価を
受けていると言われる日本舞踊パフォーマンスは観客を魅了し、会場の
雰囲気が一層高まった。

　会場の熱く華やかな雰囲気の中で私は、KZOO放送スタートの年に
番組に出演し、以来55年KZOO放送との様々な関わりに思いを馳せた。

　ハワイ沖縄連合会主催のハワイ沖縄フェスティバル会場のカピオラニ
公園のKZOOスタジオでの放送参加、沖縄からのゲストの中継スタジ
オへの呼び込みなど毎回関わってきた。2010年には第5回世界のウチ
ナーンチュ大会前に1年間にわたりKZOOと沖縄のFM21を結ぶ1時
間の生番組を宇良啓子さんと私が担当し、ハワイと沖縄の情報を発信し
た。2016年の第6回世界のウチナーンチュ大会では、KZOOとFMよ
みたんを結ぶ宇良さんの番組に出演した。

　KZOO55周年記念イベントに参加できた喜びと感謝、KZOO放送の
一層の発展を祈った。

宇良啓子さん（右）とドロティ・城間・ホーさん（左）
ホーさんはKZOO放送でシニア向け番組を宇良さんと共に25年担当。
KZOO放送55周年祝賀会場、2018年10月28日

2.　賑やかにコードウェル市長の歓迎会

　那覇市とホノルル市は姉妹都市で、相互交流の長い歴史を有する。2015 年 11 月にホノルル市からカーク・コードウェル市長夫妻一行 10 人が那覇市との親善交流で来沖した。

　那覇市の城間幹子市長、金城徹市議会議長は開会中の議場において市議、職員と共にコードウェル市長一行に歓迎の意を表した。引き続き、議場において城間市長はコードウェル市長の那覇市との交流推進を図る親善訪問を称え、同市長に那覇市国際親善名誉市民の称号を授与した。

　さらに、那覇市は、コードウェル市長夫妻一行を迎え城間市長、金城議長、三役との夕食懇談会の場を設定し情報交換と懇親を深めた。この夕食懇談会に沖縄ハワイ協会会長の高山朝光と副会長の宜野座朝美氏も招待を受け、参加し交流を深めた。

　コードウェル市長とは、ハワイでのハワイ沖縄フェスティバルやアロハパーティーなどで、たびたび一緒になる機会があり懇意にしてきた。また、2013 年 9 月 1 日に、ハワイ沖縄フェスティバルに参加した翁長雄志那覇市長の歓迎会がハワイ那覇市人会により開催された折、コードウェル市長も招待された。両市長の話題も弾むテーブルに私も沖縄ハワイ協会会長として同席した。

　コードウェル市長は大変ユーモアに長けた気さくな方である。席上私は、気軽にコードウェル市長に早い時期に那覇市を訪問されたらいかがですかと勧めた。コードウェル市長は、すかさず、「私が沖縄を訪問する頃には翁長市長は知事室にいるでしょう」とユーモラスに応えた。その翌年、翁長市長は沖縄県知事に当選し、就任した。

　2017 年の訪問団一行にはコードウェル市長と懇意にしている元ハワイ州運輸局長で元ハワイ沖縄連合会会長の東恩納良吉氏も同行していた。沖縄ハワイ協会、ハワイ沖縄プラザ建設募金推進本部関係者、ハワイとの関わりの深い人々 100 人余によるコードウェル市長夫妻一行の歓迎会を那覇市の都ホテルで盛大に開催した。この歓迎会は、元ハワイ州

運輸局長の東恩納氏から事前に連絡を受けた沖縄ハワイ協会副会長の宜野座氏が中心になって取り進めた。

　歓迎会は人間国宝で、沖縄ハワイ協会顧問の照喜名朝一氏による祝いの歌と共に高らかな乾杯の発声で幕を開けた。

　私は、沖縄ハワイ協会会長として歓迎の挨拶の中で、コードウェル市長がハワイ沖縄連合会の諸行事に出席され、支援協力されていることに感謝し、心からの歓迎の意を表した。

　舞台では琉球舞踊、歌曲などが賑やかに披露され、華やかな歓迎の宴にコードウェル市長は大変感動し、挨拶の中で沖縄に寄せる熱い思いと、参加者の心からの歓迎に深い感謝の意を表していた。

ホノルル市長歓迎・交流会
前列中央コードウェル市長夫妻
ノボテルホテル那覇、2015年11月3日

3. ハワイ大学沖縄研究センター発足

近年、国内外における沖縄の歴史、文化、長寿研究、海外における沖縄県系移民社会研究が高まりを見せている。

7月1日にはハワイ大学に「沖縄研究センター」が発足。同センターは海外における沖縄の歴史、文化研究の発信拠点として、その役割が大きく期待されている。

同センター開所式への出席案内を頂き心から祝いたい。資料によると同センターの使命は沖縄の歴史、文化、言語、現行の諸課題、沖縄県系移民社会などの研究を推進する。そのために次の諸活動を行うとなっている。

ハワイ大学内での各種講義開発の支援、学術出版の促進、ワークショップ・講義・セミナー・学術会議を含む学外活動の運営、ハワイ大学と琉球大学との交流調整、琉球大学と共同の資格プログラムや学位の推進、各種活動を伝えるウェブページやニュースレターの発行、奨学金、講義開発、出版、図書購入など各種プロジェクトのための資金獲得運動の調整などとなっている。

せんだって、長年ハワイ大学で沖縄の文化、言語を教えておられる聖田京子教授が資料収集と出版準備のため来県された。その折にハワイ大学沖縄研究センターの発足を語らい、共に喜んだ。

私がハワイ東西センターの奨学生としてハワイ大学に留学したのは1962年で、そのころのハワイ大学は沖縄への関心が高く沖縄研究が盛んだった。大学内には5千冊余の沖縄研究専門書を有するホーレー文庫が設置されていた。日本史、琉球史専門家の阪巻駿三教授が活躍しておられた。

琉球古典音楽、琉球舞踊の講座も開設され、古典音楽は野村流音楽協会ハワイ支部創設者の仲宗根盛松師範（現米国人間国宝）、琉球舞踊は真境名本流・真境名由乃師匠が担当され沖縄文化の普及に貢献しておられた。

　大学院では崎原貢氏、松田貢氏の両人が博士課程で琉球歴史の研究に専念しておられた。

　一方、当時ハワイ東西センターの招きで上級客員研究員として元琉球大学副学長の仲宗根政善教授が沖縄方言研究、歴史研究家の仲原善忠氏が琉球歴史研究、歴史学者で「歴代宝案」写本の保存に尽力された京都大学の小葉田淳教授が歴史研究に専念しておられた。沖縄研究の著名な学者がハワイにそろった時代だった。

　あれから45年余を経て、再びハワイ大学での沖縄研究が本格化する時代を迎えた。ハワイ東西センターへ毎年学者、研究者3人が派遣されておりハワイ大学沖縄研究センターとの連携も重要になってくる。

　ハワイ大学沖縄研究センターが琉球大学との緊密な連携を図り海外における沖縄の文化、学術研究の発信拠点として躍進し、沖縄文化の世界的広がりに大きく貢献することを期待したい。

（沖縄タイムス　2008年7月2日）

ハワイ大学学長就任式に出席する各国代表
左から4人目、著者・ハワイ大学留学中
1963年3月28日

4.　ハワイ沖縄県系人の親戚・墓探しエピソード

　近年、沖縄とハワイの交流が一層盛んになって来た。私が会長を務めた 2010 年から 8 年間にハワイ協会あて、市町村、企業、団体、個人からハワイとの交流関係の問い合わせ、相談が多く寄せられた。

　個人から寄せられた相談で特異なケースが 3 件あった。そのうち 2 件は、沖縄からハワイ在住の親戚の墓参のための墓探しであった。

墓探し

　2017 年に浦添市在住の高江洲福枝さんから、私に沖縄ハワイ協会でハワイの親戚の墓探しをしてほしいとの電話があった。説明によると 3 姉妹でハワイの親戚の墓参に行く予定で航空券を購入した。1 か月後に出発予定だが親戚との連絡が取れない。良い方法がないか協力願いたいとのことであった。早速、沖縄ハワイ協会副会長の宜野座朝美氏、理事の松田昌次氏、ハワイ 3 世で理事のコリン・瀬分（善久）氏と共に依頼人で浦添市内の高江洲福枝さん宅を訪ね、手掛かりになる資料を探した。

　幸い墓の写真が 1 枚見つかった。その写真を瀬分理事がメールでハワイの友人らに送信した。ハワイ島の沖縄県系人の墓の隣の墓だと証明する写真が早速届いた。3 姉妹は予定通りハワイへ発ち、墓参りをし、ハワイ島で親戚にも会うことができ感動した旨、感謝の報告があった。この墓探しは新聞でも大きく報道された。

　前記の墓探しから 6 カ月ほど後に、東京在住の高見沢徳子さんから私に電話があり、新聞で沖縄ハワイ協会によるハワイでの墓探しの記事を読んだ。私達も 3 姉妹でハワイに親戚の墓参りに行く予定で航空券を購入した。親戚と連絡を取っているが、連絡が取れない。沖縄ハワイ協会に墓探しの協力を願いたいとの依頼であった。

　依頼人の高見沢さんの父親は私と同じ旧羽地村出身で私が懇意にしていた先輩であった。高見沢さんの父親が持っていたハワイの墓の写真を手掛かりに、瀬分理事にハワイの友人らにメールで照会してもらった。

翌日には、羽地出身で元ハワイ沖縄連合会長のクリス・島袋氏から島袋家の墓の隣の墓ではないかと写真が送られて来た。間もなくして、3姉妹はハワイで墓参りをし、墓を探した島袋氏とも懇談ができたと感謝の報告があった。

親戚捜し

　ハワイ在住の日系3世バーンズ・山下氏から私は、2018年10月に沖縄での親戚捜しの依頼を受けた。山下氏によると、10年前からルーツ探しに関心を寄せ、親戚を探すため2016年に来沖したが手掛かりが得られなかった。探している親戚は旧羽地村田井等区の糸数家であった。私の出身地でもあり、前もって地元の関係先へ電話で問い合わせたが、手掛かりは得られなかった。

　山下氏は沖縄タイムス主催の「ハワイ日系人の歩み写真展」の実行委員長として来沖中であった。私は那覇在住で田井等区出身の数人と糸数倫則氏に同席してもらい、親戚捜しの山下氏との情報交換の場を設定した。その席上、偶然にも糸数氏が持参した家系図と山下氏が持参した家系図が一致し、親戚の確認がとれた。

　山下氏は大変感動し、早速ハワイ、米本国の親戚に伝えたいと感謝していた。この親戚捜しは沖縄タイム紙上で大きく報道された。

5. 沖縄県・ハワイ州高校生交流事業 30 周年を祝う

　沖縄県教育庁による沖縄県・ハワイ州高校生交流事業 30 周年の記念式典・シンポジュームが、2019 年 6 月 16 日に那覇市内のホテル「ノボテル沖縄那覇」で盛大に開催された。この催しには、歴代の沖縄県教育長、関係職員、父兄、高校生，ハワイからの関係者など 250 人余が参加し、盛り上がった。

　第 1 部の式典は、平敷昭人沖縄県教育長、玉城デニー沖縄県知事（代理・富川盛武副知事）、ジョセリーン・イゲハワイ沖縄連合会会長、山内彰沖縄ハワイ協会会長、クリスティーナ・キシモトハワイ州教育局長の挨拶が続き、ハワイ沖縄連合会会長より沖縄県知事、沖縄県教育長へ感謝状が贈呈された。

　第 2 部のパネルデスカッションは、県立南風原高校郷土文化コース生徒による琉球舞踊「かぎやで風節」、県立浦添高校生による空手演武でスタートした。

　基調講演は、私、沖縄ハワイ協会顧問の高山朝光が「ハワイと沖縄の交流を持続していくために」と題して、ハワイ沖縄移民の足跡と活躍の状況に触れ、高校生交流による次世代の人材育成の重要性について述べた。

　続くパネルデスカッションでは、「ハワイと沖縄の高校生の交流から得たことと今後の展望」をテーマに、宮城保県立北山高校校長がコーディネーターを務めた。

　パネリストは、米国ノートルダム大学のミシェル・ウイリー教授、トム・山本 2016 年ハワイ沖縄連合会会長、松原芳和県立宜野湾高校教頭、北谷工高の比嘉当太朗さん、球陽高校の崎浜空音さん（2 人は 2018 年度派遣沖縄生徒代表）、アマンダ・ニッタさん（2019 年度受け入れハワイ生徒代表）、東恩納盛氏（受入れ家庭保護者代表）が登壇し、それぞれ活発な意見を述べた。

　ハワイ州高校生によるハワイアンフラ演舞と県立南風原高校郷土文化

コースの生徒による琉球舞踊で華やかにお開きとなった。

　この 30 年間にわたる高校生交流事業の参加者は沖縄・ハワイ双方で 1400 人を数え、次世代の人材として、ハワイと沖縄の交流推進に大きく貢献するものと期待されている。

　なお、この事業の創設から約 30 年間関わったハワイのジェーン・勢理客元ハワイ沖縄連合会会長、元同専務理事が 2018 年 7 月 6 日に他界し、この記念式典・シンポジュームに参加できなかったことは極めて残念であった。幸い勢理客氏の娘、ミシェル・ウイリー教授が出席し記念式典、シンポジュームを盛り上げた。

高校生交流で、ハワイから来沖の高校生12人
引率、トム・山本ハワイ沖縄連合会長（左端）
ブレンダ・野村高校教諭（右端）
首里城正殿前、2016年

6. 第54回琉球新報賞受賞に感動と感謝

　第54回（2018年度）琉球新報賞の贈呈式・祝賀会が2018年9月25日にANAクラウンプラザホテル沖縄ハーバービューで開催された。

　受賞者は古堅実吉氏（元衆議院議員）沖縄振興・自治功労、安里祥徳氏（元沖縄バヤリース会長）経済・産業功労、板井裕氏（OCC名誉会長）同、佐久本武氏（元沖縄県酒造組合連合会会長）同、高山朝光（沖縄ハワイ協会会長）社会・教育功労、南條喜久子氏（沖縄洋舞協会会長）文化・芸術功労の6氏であった。

　私も受賞の栄を賜り深い感動と感謝の念を覚えた。私の受賞理由は「多年にわたり沖縄とハワイの人材交流・経済交流県系人ネットワークの構築に力を尽くし沖縄文化の継承や発展を支えるハワイ沖縄プラザ資金造成に奔走、また沖縄県知事公室長や政策調整監として平和行政を推進したことへの功績を称え琉球新報賞を贈り顕彰する」となっていた。

　贈呈式、祝賀会には私が関わっている沖縄ハワイ協会、ハワイ沖縄プラザ建設募金推進本部、ハワイ東西センター沖縄同窓会、ハワイ捕虜沖縄出身戦没者慰霊祭実行委員会、世界ウチナーンチュセンター設置支援委員会会員、ハワイ交流関係者、知人、友人など多くの方々が参加し祝福いただいた。

　それぞれの団体、個人から祝福の多くの花束、祝電、激励の言葉をいただき同伴で出席の私の妻佳子と共に皆さんの温かい厚意に深く感謝した。

　受賞者挨拶の中で私は感謝の気持ちを次のように述べた。

　「アローハ、ハイサイ、グスーヨー、イッペーニフェデビル！

　琉球新報賞受賞の重みをかみしめながら、この賞は私一人だけでなく共に活動してきた会員への評価と受け止め、厚く御礼を申し上げます。

　私の新たな人生を拓いたのはハワイです。

　今から56年前の1962年に私は東西センター奨学生としてハワイ大学大学院へ留学しました。その折、ハワイ沖縄移民各分野のリーダーにイ

ンタビューをしました。その中で、ハワイ沖縄移民の苦難の足跡、戦争で廃墟と化した沖縄へ豚550頭を送るなど大々的な沖縄救援活動の実態を知りました。救援活動推進の中核をなした方が、今、琉球新報に掲載中の比嘉太郎物語の主人公比嘉太郎氏でした。当時、私はハワイウチナーンチュの同胞愛、志情けの深さに深い感動を覚えました。

　以来56年ハワイの人々から多くを学び絆を深めて参りました。

　今回のハワイ沖縄プラザ1億円募金は、ハワイへの恩返しです。琉球新報社様を始め、沖縄県、市町村、企業・団体、個人から多額の募金協力をいただきました。1億円突破は、ハワイ沖縄プラザ建設募金推進本部の事務総長宜野座朝美氏他会員皆さんの奮闘によるものです。プラザ落成祝賀会で沖縄から参加の400人の皆さんと共に沖縄からの1億円の募金目録を贈呈しました。

　お陰様で沖縄とハワイの絆は一層強固になりました。

　私のハワイとのもう一つの絆は、東西センターです。私はハワイ大学で学びながら、米国、アジア太平洋諸国地域から来た500人の優秀な留学生と2年間寝食を共にし、国際理解と国際協力の重要性を学びました。東西センターでの次世代の人材育成の重要性から、途絶えていた沖縄からの留学制度の復活を要請し続け、2000年の沖縄サミットを機に再スタートさせることが出来ました。

　また、大田昌秀県政のもとで、知事公室長時代に「平和の礎」建立の担当責任者として関わりました。その折、多くの課題に直面しましたが、県民の誰一人として敵兵米軍14000人余の名前を刻むなとの反対意見はありませんでした。これは沖縄県民の、戦争を憎んで人を憎まずの人間愛、ヒューマニズムだと理解しています。私は、沖縄をアジアにおける国際平和交流の拠点にすべきとの思いを強く持ち続けています。

　終わりになりますが、私の今後の課題は、元ハワイ捕虜の渡口彦信共同代表と共にハワイ捕虜の遺骨探し、ハワイの捕虜収容所跡地公園に平和祈念碑の建立です。

　次の課題は三木健氏、大山盛稔氏ら共同代表と共に進めている世界ウ

チナーンチュセンター設置支援です。第3の課題は、久米昭元氏、仲地清氏ら全国の学者、研究者らと共に取り組んでいるアジア太平洋センター沖縄設置実現に向けた構想提言です。

　琉球新報社の益々のご発展とご参加の皆様のご健勝をお祈り申し上げます。併せて私の連れの佳子、子・孫にお礼を言います。

　皆様大変ありがとうございました。」

琉球新報賞受賞祝賀会に参加の著者の先輩、友人
2018年9月25日

東西センター

第2編

東西センターの異文化交流・人材育成

第1章　人生を拓いたハワイ留学

1. 夢の米国留学

　1962年7月、私は東西センター奨学生としてハワイ大学大学院に留学した。当時、私は琉球大学学生部に勤務中で現職での留学だった。その頃の沖縄は米軍施政下にあり、戦後復興途上の貧しい時代であった。我々若者にとっては豊かな米国への留学は大きな夢であった。

　幸い私は1960年に創設された東西センター2期目の奨学生として留学の夢を実現した。1期目は1961年に沖縄から松村圭三氏（後に大学事務局長）と仲間弘氏（後に高校校長）の2人、2期目は桂幸昭氏（後に琉大学長）、城間理夫氏（後に琉大名誉教授）、仲地政夫氏（後に国連広報部長、故人）、山里清氏（後に琉大名誉教授、故人）に私の5人だった。

　那覇空港では、妻佳子と8ケ月の長男朝秀、父母、多くの親戚、友人の見送りを受けた。憧れの留学への大きな夢を胸に那覇空港を後にした。

　パンアメリカン航空で羽田経由ハワイへ、ホノルル空港では東西センターの美人女性が歓迎。レイを首にかけてもらいキスをされ、異文化の香りに深い感動を覚えた。空港から市内へ向うバスの窓から眺める花と緑の美しい街並みはまさしくロマン溢れる太平洋の楽園・ハワイだった。

　宿舎はワイキキのど真ん中のトロピカナホテル。寮は建設中で完成までの3カ月間ホテルから大学まで送り迎えのバスで通学した。ワイキキビーチにはビキニ姿の若い白人女性が多く、それに魅せられよく泳ぎに行った。そのうち耳に水が入り中耳炎を患い長く病院に通った。

　寮が完成しホテルから寮に移った。東西センターは米本国、アジア・太平洋諸国・地域からの留学生500人余で賑わい、色とりどりの衣装で国際色豊かで圧巻だった。奨学資金は、授業料、教科書代、保険料など東西センターが直接支払い留学生各自に毎月寮費を含む210ドルが支給された、この支給額は当時私の琉大での給与の約5倍であった。

2.　学業・異文化交流

　私のハワイ大大学院での専攻は教育心理学だった。大学では経済学専攻で教育心理学は異質の分野だった。琉大から現職での派遣だったので職務関連専攻が必要であった。それだけに全力投入、大変な苦労をした。残念だったのは、講義中の教授の質問に対し内容は解っていても競争相手の米国人並みの英語表現力がなくもどかしさ、いら立ちを多々覚えた。

　2年目1学期までA、Bの高評価の教科もあった。2年目1学期にコーネル大学の著名な客員教授の2教科を受講した。少数の優秀な学生が受講していた。教育専攻でもない私には背伸びした無理な登録だった。案の定評価は低く、外国人だからとの甘い採点はなかった。

　2年目2学期には米国の主な有名大学を訪ね、米国の大学における学生の課外活動の実態、指導方法、学生会館の運営状況等を視察した。そのため40日間主要都市でホームスティをして大学を訪問、滞在先の家庭では米国の生活習慣、文化を学ぶ多くの機会を得た、西から東へ横断し西へ戻る周遊の旅であった。サンフランシスコでは約5000人参加の全米教育学会に参加。その分科会のパネリストの大半が女性であることに米国の男女平等社会を見る思いがした。

　大陸横断はグレイハウンドバスで車窓から広大な風景を眺めながら、この豊かな国と日本はよくも戦争をしたものだとの思いを強くした。ロサンゼルス、ワシントン、シカゴでは沖縄移民のリーダーの方々ともお会いし米国での移民体験談等をうかがった。

　米本国からハワイに戻りハワイ大学で学生の諸活動の指導方法等を学び、1964年9月に2年間の留学を終え帰国の途に就いた。

　留学中の寮、2人1部屋のルームメートは1年目が米国人のCharles T.Ratcliff君。2年目も米国人でJohn A.Young君であった。2人から米国の生活習慣など多くを学んだ。Young君とは2010年にホノルルでの50周年国際会議で48年ぶりに再会、旧交を温め語り合った。

　東西センターの留学生は家庭的雰囲気の中で生活を共にし、相互に異

文化の生活習慣を学び友情を深めた。培った体験、人脈は生涯の財産となっている。

　留学中に東西センターをご訪問の皇太子・美智子妃殿下（現上皇上皇后両陛下）にお会いする機会があり、太平洋戦争で多大の被害を被った沖縄を近い将来ご訪問願いたいと申しあげた。

ハワイ大学大学院、東西センター学生寮での著者（左）のルームメイト
米国人、ジョン・ヤング君（後に大学教授）、1963年

3.　次世代育成への活動推進

　ハワイ滞在中に沖縄県人の方々に大変お世話になった。特に2世の
Neal Goya 氏（中城村出身）には毎年年末に沖縄からの全留学生が招待
を受けご馳走になった。その頃、ハワイ沖縄県人は豊かな米国社会の各
分野で活躍の時代を迎えていた。その背景に私は興味を覚え、休日に各
分野の代表的な方々を訪ね体験談を伺った。その内容を沖縄タイムスに
7回連載し、ハワイでの沖縄移民の活躍を紹介した。

　留学を終え琉大学生部へ戻り業務にも自信と充実感を覚えた。4年後
に琉大から沖縄放送協会へ転職、復帰後は NHK 職員として東京で海外
受託業務を担当。海外研修生対応にハワイで培った国際感覚が大いに役
立った。NHK から沖縄県庁に転職し知事公室長、政策調整監として、
また那覇市では助役として国際交流業務、姉妹都市交流推進に努めた。
ハワイ留学で培ったノウハウを業務推進に大いに活用できた。

　1972年沖縄の本土復帰に伴い東西センターへの留学制度は打ち切
られた。沖縄同窓会では留学制度の復活を継続的に強く要請してき
た。1999年フィリピンでの東西センター地域会議の折、東西センター
Morrison 総長、Robert Nakasone 沖縄プログラム担当局長、照屋文雄
理事、それに私の4人で長時間に亘って東西センターへの奨学生派遣実
現に向け論議を交わした。これを受け Morrison 総長は米国国務省に強
く働きかけた。その結果、2000年沖縄サミットの折、Clinton 大統領が
「平和の礎」前の演説の中で東西センターへの奨学制度再スタートを発
表。会場にいた私は Clinton 大統領と握手してお礼をのべた。これによ
り 2000年に小渕沖縄教育研究プログラムが発足した。長期継続を願う。

　東西センター40周年で私は社会貢献の特別賞を受賞。これは同窓会
員全員への活動評価である。私は1997年後半に会長に就任以来約14年、
副会長の平良初男、仲里幸子、山里恵子、事務局長の安谷屋健助、監査
の古波蔵里子、会計の鉢嶺廣子、川崎久子、さらに、常に献身的に協力
の照屋文雄の諸氏、顧問、理事、会員皆様のご協力にお礼を申し上げる。

特に募金委員長としてご尽力いただいた宮城宏光氏に感謝したい。東西センターへの留学は私の人生を大きく拓いた。東西センターに多謝。

（2011年12月1日発行）「虹のかけ橋」
東西センター留学生　50年の歩み―」に掲載

小渕奨学制度10周年記念シンポジューム
沖縄市、コリンザ、2010年6月19日

第2章　東西センターの人材育成施策(1962年)

1. アジア太平洋諸国地域の次世代育成

　かつて「南太平洋」というすごくロマンチックな映画をみたことがあるが、その映画のバックグラウンドとなった所は、ここにあるハワイ島だと聞いていた。ハワイに来る前にハワイについては、マス・メディアを通じ、あるいは人々の話をきいて、一応の予備知識はもっていたつもりだが「百聞一見にしかず」で現実のハワイはそのイメージをはるかにしのぐ夢の国といえるようだ。

　草木は四季をたがわず色とりどりの南国情緒豊かな花をつけ、この島々にまつわる歌も踊りも自然に似て情熱的だ。気候のよさは格別で、島全体の美しさが人々の心をひきつける。その自然の美しさに加えて、各種の施設が観光客を心ゆくまで楽しませてくれる開放感にあふれた島でもある。

　この夢の島にまたひとつ名物がふえた。それは世界に二つしかないとアメリカが誇りとしている東西文化センターである。他の一つはソ連はモスクワにあるルムンバ民族友好大学ときいている。今やこのセンターは文化の殿堂としてだけでなく、ハワイの大きな観光資源にもなりつつある。

　何がそれほどアメリカにとってハワイにとって誇るに価するかというと、この研究所のように 27 か国もの人種が一つ所に住みお互いの親善を図りつつ、研究にも専念している所は他に例がないというわけである。

　そういう点から日本本土においてはマス・メディアを通じて大々的に報道されているようだが、沖縄ではまだまだ知られていないようだ。事実このセンターの奨学金で来布する人すらその実態をよく知らないし、ハワイへ来てはじめて、その規模の大きさに驚かされるありさまである。

　この研究所は 1960 年 10 月にアメリカ合衆国政府によって設立され、ハワイ大学との連携で運営し今年で 3 年の月日を数える。設立の趣旨は

アジア、太平洋地域の人々とアメリカの人々が相互の理解と親善を図り
つつ、それぞれの国の発展に尽くしうる人々へ援助するとなっている。
この3年間にすでに多くの人々が機会を得、その役割を果たしている。
この研究所がアメリカ本国でなく、特にハワイに設けられた理由として、
ハワイがアジアとアメリカ本国とを結ぶ十字路にあること、次にハワイ
が世界まれにみる人種雑踏の地であることなどがあげられている。

　予算は沖縄援助に匹敵する年間約800万ドルでハワイ大学予算とは別
にアメリカ合衆国政府予算からあてられている。

　留学生は北は日本、韓国から南はインド、ボルネオに至る東南アジア
諸国、太平洋の南洋群島、さらにオーストラリア、ニュージーランドを
含み、アメリカ全州に及んでいる。

　部門は高等研究部、技術交換部、学生部の三つに別れ、その中でもこ
のセンターの中心をなしているのは、修士課程、博士課程の大学院学生
を対象とする学生部である。

　これら学生は2か年にわたってアメリカでの学生生活を十分まかない
うる奨学金が与えられ、東洋人は4学期の中、3学期はハワイ大学で学び、
1学期はアメリカ本国の大学で学ぶかたわら、2週間の観光旅行と2週
間の専門分野における視察旅行の機会が与えられている。いっぽうアメ
リカ人にとっては6カ月ないし1カ年間アジア諸国の大学で学ぶかたわ
ら、1カ月の視察旅行が認められている。

　現在500人の学生を容しているが、2年後の1965年には1,000人に達
することになっており各国から留学生は毎年多くなる。

　ちなみに昨年までの留学生数を国別、地域別にみると、オーストラリ
ア1、北ボルネオ2、ビルマ14、カンボジア11、セイロン6、中国（台
湾）66、フィジー9、ホンコン8、インド62、インドネシア47、日本々
土82、朝鮮22、ラオス21、マラヤ2、ネパール11、ニュージーランド2、
沖縄2、パキスタン16、フィリピン63、サモア2、シンガポール2、タ
イ35、ベトナム1、アメリカ合衆国信託統治地域5、アメリカ合衆国38
の計530人となっている。

　沖縄からは第1回の留学生として松村圭三（琉大職員）、仲間弘（琉大職員）の両氏が来られたがさる6月両氏とも2年の留学を終え帰任した。現在は昨年9月に第2回留学生として来布した山里清（琉大助教授）、仲地政夫（モーニングスター記者）、桂幸昭（琉大講師）、城間理夫（気象台職員）、今年6月新たに来布した宮城広光（中央金庫職員）氏らと私が各国の人々と親善を図りつつ、ハワイ大学大学院の正規の学生として講義を受けている。9月の新学期には新たに308人の留学生が各国から来ることになっているが、沖縄からも4人来る予定なので、ますますにぎやかになる。

　ここではアメリカ人との交流のみでなく、アジア諸国の将来の指導者である人々が、自国の発展のため、なにを考え、何をなそうとしているかを知るに絶好の機会でもある。彼らの意欲あふれる活動ぶりをみているとファイトが湧いてくる。

（沖縄タイムス　1963年8月29日）

東西センター行政棟、学生寮全景
日本の皇太子ご夫妻歓迎の人々
1964年5月15日

2.　恵まれた環境で研究に専念

　高等研究部では仲宗根政善教授（琉大）が沖縄研究所で沖縄方言の研究に専念なさっておられる。この研究部門には学者や知的、創作的活動における指導者が招請され、知識の交換並びに向上、新しい知識への探求、文化的、社会的、科学的に重要な課題に関する討議解明などの活動を行ない、人類の知識を高め豊富にすることを目的としている。その期間は5カ月ないし10か月で現在各国からの23人の学者が研究にいそしんでいるが、9月にはさらに20余人の学者が招請されることになっている。

　第1回の学者として沖縄史では比嘉春潮（歴史家）、仲原善忠（歴史家）の両氏が1年間沖縄研究所で沖縄歴史の解明に専念された。

　この研究部のもう一つの特色は、太平洋会議を開催するかたわら太平洋地域の各分野における資料の収集につとめ、学者の研究成果を出版し、広く普及につとめている点にあるといえる。

　今年10月ごろにアジアの哲学者、アメリカの哲学者を一堂に会し、哲学者会議が開かれることになっている。

　東西文化センターの奨学金で沖縄からハワイに来る人の数は月を追ってふえつつある。その中でも最も多くの人に可能性があり、利用されているのが国際技術交換部の奨学資金である。この部の目的はハワイ及び太平洋地域並びにアジア関係諸国にある各種団体と提携し、専門的あるいは文化的な知識と技術の訓練と交換を行なうこととなっている。

　期間は主として4か月で沖縄から初のケースとして昨年10月職業関係の職員3人がオアフ島やハワイ島で研究を続けた。

　現在は教育関係の職員2人、琉球政府税務関係の職員3人、それに東西文化センター主催でホノルル市で開かれる立法職員会議に出席するため、最近来布した5人の立法院事務局職員がいる。来る9月には新たに政府の人事関係の職員5人が研修のため来布することになっていると文化センターの職員は語っていた。

　全般的にみて、このセンターのよさは政治的な色合いはなく、あくま
でも教育機関として多くの人々に開放されている点にあろう。

　施設としては12階建の豪華な男子寮はじめ、デラックス版の劇場、
文化センター本部、それに3階建の学者宿泊所と女子寮がある。この研
究所は近い将来に現在の3倍の規模に拡大されることになっている。そ
うなればこの研究所の費用で研究の機会が与えられる人々が沖縄からも
毎年多くなり、この研究所をしてハワイと沖縄との距離もますます近く
なるであろうと期待する。

（沖縄タイムス　1963年8月30日）

著者（ハワイ大学留学中）が2年間滞在した東西センター学生寮
1962年

3.　沖縄に欲しいこの種施設

　これまで米留学といえば沖縄では軍援助による留学制度が唯一のものだった。ところがこの研究所をして新しく米留学の門戸が開放されたわけである。

　この制度は新しくアメリカで学ぶ人々のみでなく、すでにアメリカで修士の学位を得た人、日本本土で学位を得た人々で更に博士課程への進学を希望する人々にも適用されている。

　短期の研修には語学はさほど重視されないようで、それだけ多くの人々に機会が与えられているわけである。2年にわたる大学院課程への留学希望者の選考については沖縄に琉球大学長を委員長とする東西文化センター留学生選考委員会があって11月に試験を行ない、その結果適当な人数を推薦し、最終決定は東西文化センター本部で行なうことになっている。

　一般事務手続きは民政府教育部が扱っている。文化センターで決定のさい重視されることはその人がどのような職業にあるか、将来その人が沖縄のため何をなし得るかにあるようで、英語能力についてはハワイ大学英語研究所で養成できるようになっている。

　技術交換研修については、沖縄の各団体と文化センターの直接折衝によってなされているという。

　「人づくり」という言葉がよく使われているようだが、沖縄をあらゆる分野において他府県並に引き上げるには、人材養成にもっともっと力を入れる必要があると思う。この意味からもこの文化センターを一人でも多くの人が活用し、技術と知識を得、より一層沖縄の発展に尽くしていただけたらと思っている。

　このセンターの中で生活し、この施設をみるたびにこのような文化センターが沖縄にも是非ほしいものだと夢をみる。地理的に東南アジアの中心にあるともいえる沖縄に学術の殿堂をうちたてることは、若人にとって大きな希望をもたらすことであり、東洋のハワイを夢みる人々に

とっては大きな観光資源にもなりうる。

　まず沖縄にふさわしいものに亜熱帯研究所がある。亜熱帯医学研究所、亜熱帯農業研究所、亜熱帯水産研究所、台風研究所も結構であろう。この種の研究所は日本最南端の亜熱帯研究所として大きな意義をもつ。であるから琉球政府の小規漠な予算でなく、日本政府かアメリカ政府の大援助によってなされなければならない。

　この際、琉球政府が文教政策の一環として、大々的にとりあげてはどうだろうかと思う。

　沖縄にはなすべき基礎的なものが山積みされているが、長い目でみて日本の国会、アメリカの国会に働きかければ実現も決して夢ではないと思う。

　事情が違うとはいえ、ハワイに文化センターを設置するまでにはハワイ州は全力をあげて努力したともいわれる。この研究所の設置によってハワイ大学は急ピッチで発展しつつあり、その恩恵は単にハワイ大学だけでなくハワイ全州によくしつつある。そしてこのセンターはその名にふさわしい東西文化センターとして、ハワイ州とともにますます発展するであろうこの種のセンターが近い将来沖縄にもできることを願いつつ…。

（沖縄タイムス　1963年9月1日）

4. 創立 40 年迎えた東西センター

　東西センターは、2000 年の今年で創立 40 周年を迎える。これを記念して、7 月 4 日から 4 日間の日程で記念式典や国際会議がホノルル市で開催される。この会議には米国アジア太平洋諸国・地域を中心に世界各国から 500 人余の同窓生が集い、21 世紀のアジア太平洋諸国・地域の諸課題について活発な論議が交わされることになっている。

　沖縄からも 20 人余の会員が参加する。

　東西センターは 1960 年にアジア太平洋諸国・地域の発展、人材育成に資する目的でハワイに設立された。同センターは学者の研究支援を行う高等研究部、技術研修を支援する技術交換部、ハワイ大学で学ぶ留学生を支援する学生部の 3 部で構成される。これまでの 40 年間に同センターの支援でハワイで学んだ米国、アジア太平洋諸国・地域の同窓生は 5 万人を数え、強力な人的なネットワークを構築し、相互に緊密な連携を図り情報交換を行っている。

　沖縄からは 1960 年の同センター創設時から 1972 年、沖縄が本土へ復帰するまでの 12 年間に約 4 百人がハワイで学ぶ機会を得た。1960 年代のハワイ大学では沖縄研究が盛んであった。沖縄文庫が大学図書館から独立して設置され、阪巻駿三教授が管理されていた。東西センターも沖縄研究に深い関心を寄せ、日本本土・沖縄から著名な学者を招き、沖縄研究を支援していた。私が留学をしていた 1962 年から 1964 年には、琉球大学の仲宗根政善教授、京都大学の小葉田淳教授、比嘉春潮先生、仲原善忠先生が来布され、沖縄研究に専念されておられた。

　各国からの留学経験者はそれぞれの国の各分野でリーダーとして、大きな役割を果たし、沖縄でも行政、大学、企業など幅広い分野でトップリーダーとして目覚ましい活躍をしている。

　沖縄同窓会では、同センターでの人材育成を高く評価し、復帰後も特別枠を設けて、継続的に受け入れていただくよう強く要請してきた。幸い、近々になって同センターのジョージ・有吉理事長（元ハワイ州知事）、

モリソン総長が沖縄の人材育成に熱い思いを寄せ、沖縄担当局長（沖縄県系人・ロバート・仲宗根氏）を新たに配し、人材育成支援の具体策に取り組んでいる。

　沖縄で開催された第4回WUB世界大会での基調講演のため、来県した有吉理事長は記者会見で沖縄から毎年10人程度の研究者、学生を同センターに受け入れていく意向を明らかにし、7月の沖縄サミットを機に日米の共同プロジェクトとして取り組めるよう準備を進めている、と語っておられる。同センターが再び、沖縄の人材育成に大きく貢献することを期待している。

　なお、沖縄においても国、県の施策としてこれまで継続的に検討されてきている沖縄国際南北センター（仮称）設置構想がハワイ東西センター40年のノウハウを参考にポスト三次振計の目玉事業として、推進されることを大いに期待したい。

（2000年7月4日）

東西センター40周年国際会議に参加の沖縄同窓会員
前列右より3人目著者・東西センター沖縄同窓会長
ホノルル、2000年7月3日

5. 東西センター 50 周年への期待

2010 年 7 月 2 日から 4 日間ホノルル市で東西センター 50 周年記念式典・国際会議が盛大に開催される。世界各国から約千人の同窓会員が参加し、アジアの発展をテーマに全体会議、分科会と活発な議論が展開される。沖縄からも 28 人が参加する。

東西センターは教育研究機関として 1960 年に米国政府により設立された。この 50 年間にアジア、太平洋諸国・地域のリーダー養成に努め 5 万人余の人材を育成、輩出してきた。これらの人々は、各国、各分野でリーダーとして活躍し大きな役割を果たしている。沖縄からも 1961 年から復帰の年の 1972 年までの 11 年間に約 400 人がハワイで学び、戦後沖縄の復興、発展に大きく貢献してきた。

東西センターはアジア、太平洋地域に強力な人的ネットワークを有しており、その連携の重要性から沖縄同窓会では沖縄からの留学制度の再開を長年強く要請してきた。

幸い 2000 年沖縄サミットの折、クリントン大統領が「平和の礎」前での演説の中で、東西センターへの沖縄からの留学制度の再開を発表した。これを機に日米両政府支援による「小渕沖縄教育研究プログラム」がスタートした。この制度により過去 10 年間に、学者・研究者、大学院生 49 人がハワイで学んだ。2010 年 6 月 18 日には沖縄県と東西センター沖縄同窓会が 10 周年記念式典を共催した。この式典に米国駐日大使、東西センター総長、小渕優子衆議院議員、国際交流基金部長、沖縄県知事ら多くの来賓、関係者が出席した。私は実行委員長として東西センターでの沖縄の人材育成の重要性を強調し、この奨学制度の長期継続を強く要望した。来賓の挨拶でも、この制度の重要性・継続を強調していた。また同時開催の大学院生主催シンポジウムも活力に満ちていた。東西センター 50 周年記念に当たり沖縄の人材育成に一層期待したい。

（琉球新報　2010 年 6 月 24 日）

第3章　東西センターの新たな沖縄支援

1. 沖縄の次世代育成の施策推進

　21世紀の国際交流拠点形成をめざす沖縄県にとって、国際性豊かな人材の育成は、極めて重要な課題となっている。

　沖縄の地域発展に資するため、ハワイ東西センターでは、復帰以降途絶えていた沖縄からの留学制度を30年ぶりに復活するなど、新たな支援策を推進している。

　同センターは、1960年にアジア太平洋諸国、地域の発展、人材育成に資する目的で米国政府によりハワイに設立された。同センターでは、これまでの42年間に、米国、アジア太平洋諸国・地域の約5万人の人材育成に取り組んできている。

　そこで学んだ人々は、それぞれの国、地域の各分野でリーダーとして活曜し、社会の発展に大きく貢献している。さらに、これらの人々は、国際的に強力な人的ネットワークを結成し同センターとの緊密な連携のもとに、米国、アジア太平洋諸国・地域との学術・人的交流、情報交換に大きな役割を果たしている。

　沖縄からも1961年から復帰の年の1972年までの11年間に同センターの支援で、約400人がハワイで学び、沖縄の各分野でリーダーとして活躍している。

　東西センターでの人材育成制度は、沖縄の本土復帰に伴い対象地域外として打ち切られた。

　東西センター沖縄同窓会では長年にわたってその復活を同センターへ強力に要請してきた。幸い、現総長のチャールズ・モリソン博士は、就任以来、沖縄に深い関心を寄せ、1999年フィリピンでの国際会議の折、沖縄同窓会役員との熱心な話し合いを行い、それを受け、本格的に留学制度の復活に取り組まれた。

　モリソン総長らの米国政府への強力な要請もあって2000年九州・沖

縄サミット出席のため、来沖されたクリントン大統領は「平和の礎」前での演説の中で、沖縄から東西センターへの留学制度の再スタートを明らかにした。演説終了後には、大統領と握手を交わす機会があり、その折に感謝の意を表した。

　大統領演説を受け、日米両政府では2001年から大学院生3人、学者3人の枠を設け、現在、大学院生2人、学者3人をハワイへ派遣している。この留学制度の再開は、沖縄の若い人々に勉学の機会と希望を与えている。

　さらに、東西センターでは、外務省の委託を受け、沖縄における「アジア太平洋学術交流センター」の立地可能性調査を実施し、その結果をまとめたとのことである。

　この調査結果は3月25日から那覇市内で開催される国際ワークショップ「国際学術研究交流拠点としての沖縄」の中で、モリソン総長を中心にスタッフによる報告が予定されている。このセンター設置可能性については、これまで、数年にわたって外務省、沖縄県がシンポジウムを開催し検討を重ねてきており、沖縄同窓会としても関係先に強く要請してきた。

　このセンター設置については沖縄に設置予定の大学院大学構想との関連で位置づけ、ハワイ東西センターが長年にわたって蓄積してきたノウハウを活用し実現にむけて取り組むことを期待したい。

（琉球新報　2002年3月23日）

2.　小渕奨学制度10周年への思い

　2000年の沖縄サミット開催から今年で10年。さまざまな思いが脳裏に浮かぶ。沖縄サミットは日本で初の地方開催で、8地域が立候補し、一番不利と見られていた沖縄が開催地に決まった。それは小渕恵三首相の大英断と高く評価された。ところが残念ながら小渕首相は沖縄サミットを議長として取り仕切ることなく同年5月に他界された。

　追悼の辞で村山富市元首相は小渕首相が学生時代から何度も沖縄に足を運び、戦中の犠牲、戦後米軍施政下での人々の生活、苦しい中での復帰運動を見て、沖縄への思いを心に刻み、困難を承知で沖縄サミット開催を決断したと讃えておられる。

　クリントン大統領も小渕元首相の沖縄への熱い思いを高く評価された。サミットの折、クリントン大統領は「平和の礎」前で演説し、その演説の中で沖縄の人材育成のためハワイ東西センターへの留学制度を再スタートさせると発表した。これは東西センター沖縄同窓会の長年の要望でもあった。当時、私は会場にいて大統領と握手の機会があり、お礼を述べた。この奨学制度は日米共同により制定され、2000年に開始された。

　モリソン東西センター総長によると同奨学制度の名称はクリントン大統領の提案で小渕元首相の姓を冠に「小渕沖縄教育研究プログラム」と決定。米国では功績のあった人を讃え、その姓を冠に付す習慣がある。この奨学制度は沖縄県、沖縄県国際交流人材育成財団により推進され、10年間に学者、研究者、大学院生など50人余がハワイで学んでいる。

　来月、6月18日には小渕奨学制度10周年の式典を沖縄県と東西センター沖縄同窓会の共催で開催する。式典ではモリソン総長と小渕優子衆議院議員の講演が予定されている。小渕奨学生による留学体験など2日間のシンポジウムも開催される。小渕奨学制度の継続を強く願いたい。

（琉球新報　2010年5月26日）

3.　小渕奨学制度創設の背景

　1972年沖縄の本土復帰に伴い沖縄から東西センターへの留学制度は
打ち切られた。東西センター沖縄同窓会では留学制度の復活を継続的に
強く要請してきた。1999年の東西センターのマニラでの国際会議の折、
東西センターのチャールズ・モリソン総長、ロバート・仲宗根沖縄プロ
グラム担当局長、東西センター沖縄同窓会会長高山朝光、同照屋文雄理
事の4人で、東西センターへの沖縄からの奨学生再派遣実現に向け長時
間にわたり論議を交わした。それを受けモリソン総長は米国務省に強く
働き掛けた。その結果、2000年沖縄サミットに参加のクリントン大統
領が「平和の礎」前での演説の中で、東西センターへの留学制度の再ス
タートを発表した。会場にいた私は演説を終え降壇し帰路に向かうクリ
ントン大統領に握手してお礼を述べた。

Ⅰ．小渕沖縄教育プログラム発足式典

　日米両政府の協力により沖縄県から東西センターへの留学制度が再ス
タートすることになった。学者・研究者3人、大学院生3人の枠が設け
られ、学者・研究者は日本政府が費用負担し、学生の費用は米国政府が
負担することになった。

　モリソン総長によると奨学資金の名称はクリントン大統領の提案によ
りサミットの沖縄開催に尽力した小渕恵三総理の功績をたたえ奨学資金
の名称に「小渕」を冠し、小渕沖縄教育研究プログラムとした。

　2000年11月10日に小渕沖縄教育研究プログラムの発足式典と懇親
会が沖縄県主催で那覇市内のロワジールホテルで開催された。この式典・
懇親会に米国側、日本側、沖縄県側から多くの関係者が出席した。主な
出席者は米国側、ダニエル・イノウエ上院議員、トーマス・フォーリー
駐日大使、チャールズ・モリソン東西センター総長、ロバート・仲宗根
東西センター沖縄担当局長、日本側から小渕優子衆議院議員、小西正樹
国際交流基金専務理事、沖縄側から稲嶺恵一沖縄県知事が出席祝辞を述

べた。東西センター沖縄同窓会会長の私、高山朝光も祝辞を述べる機会を得たので、小渕沖縄教育研究プログラムの発足への感謝の意を表すると共に、1961年から1972年の復帰までの11年間に東西センターの支援で沖縄から400人余の人たちがハワイで学び、戦後沖縄の復興・発展に貢献したことを述べた。

II. 小渕沖縄教育研究プログラム10周年記念式典

　2010年6月18日に小渕沖縄教育研究プログラム10周年を祝う式典と懇親会が那覇市の自治会館で150人余の関係者が出席して賑やかに開催された。

　このイベントは東西センター沖縄同窓会と沖縄県企画部科学技術振興課の協力により、小渕沖縄教育研究プログラム実行委員会（委員長　高山朝光）を設置し実施された。式典は、高山委員長の挨拶にはじまり、仲井真弘多沖縄県知事、小倉和夫国際交流基金理事長、（代理　小川忠部長）、レイモンド・グリン沖縄米国総領事の祝辞の後、講演に移った。

　チャールズ・モリソン東西センター総長が「沖縄とアジア太平洋地域」と題し講演、続いて小渕優子衆議院議員が「父の沖縄への思い」をテーマに講演し出席者に深い感銘を与えた。終わりに仲村守和沖縄県国際交流・人材育成財団理事長が謝辞を述べ式典を閉じた。

　式典の後、懇親会に移り、稲嶺恵一前沖縄県知事が挨拶と乾杯、ジョン・ルース駐日米国大使、樽井澄夫外務省特命全権沖縄大使、小川剛太郎外務省参与・元ホノルル総領事が祝辞、ロバート・仲宗根東西センター特別プログラムコーディネイターが挨拶した。その席上で沖縄タイムス役員からロバート・仲宗根氏への沖縄タイムス賞授与が発表された。懇親会では大城ナミ舞踊研究所による琉球舞踊が披露され懇親会に花を添えた。

　記念式典翌日の6月19日に沖縄市のコリンザ会議場で「小渕教育研究プログラム10周年記念会議」（実行委員長　町田宗博琉球大学教授）が開催され300人余の参加者で賑わった。この会議にチャールズ・モリ

ソン東西センター総長、ロバート・仲宗根東西センター沖縄プログラム
コーディネーター、東西センター沖縄同窓会会長の高山朝光も出席、挨
拶し激励した。

　この会議は「太平洋の中心、ハワイで学ぶ意義─海を越えたネットワー
ク作りと交流の可能性」をテーマに小渕沖縄教育研究プログラム 10 周
年に際しての総括、世代間の交流や海を越えたネットワーク創り、ハワ
イで学ぶ意義について活発な論議が展開された。この会議は小渕プログ
ラムで学んだ若い留学生が中心となって運営に当り、パネリストに小渕
フェローの学者、研究者や同窓会員を加え、世代間論議が交わされるな
ど熱気に満ちた討論が展開され、ハワイへの留学、留学経験者の沖縄社
会への貢献の可能性について広く意見交換の場となった。

　会議の開催と並行して、プレイベント写真展「From Okinawa to
Hawaii-1964 − 1970」が沖縄市戦後文化資料室ヒストリートで開催され
た。復帰前にハワイに留学した人達の経験や、1960 年代当時の時代背
景を示す写真は、会議終了後も、沖縄市の後援で延長して展示されハワ
イからの訪問客や多くの市民が鑑賞した。

チャールズ・モリソン東西センター総長へ感謝の意表明
著者・東西センター沖縄同窓会会長
沖縄市コリンザ会議場、2010年6月19日

第4章　沖縄に国際センター設置を

1. 南北センター構想に大きな期待

　沖縄県の国際都市形成構想の中で国際交流機能として「沖縄国際南北センター」（仮称）の設置が位置づけられている。このセンターの実現に向けて、外務省、国際交流基金、沖縄県、野村総合研究所の部課長クラスによる作業グループが設置され、基本構想、基本計画策定の検討作業がスタートした。

　1997年7月29日に外務省で、南北センターに関する第1回の作業グループメンバーと有識者との意見交換が行われた。その意見交換会に、講師として下河辺淳・東京海上研究所理事長、濱下武志・東京大学東洋文化研究所所長と私の3人が出席した。講師に求められた意見は、南北センターの持つ意義、沖縄への立地に対する期待などで、それぞれに30分程度の意見を述べた。

　私は30年余にわたる国際交流経験と国際交流への思いを語った。いまから34年前、ハワイ東西センターの留学生として2カ年にわたるアジア・太平洋地域の多くの留学生との交流体験、ハワイ東西センターが今日までに果たしてきた国際的な貢献について触れた。

　また20年前、3年間にわたってNHKで国際協力事業団（JICA）の委託による発展途上国の研究生の受託担当経験について語り、さらに発足当時より深い関心を持ってみてきた沖縄国際センターの実態と、留学生の評価の高い状況などについて述べた。

　今日まで、日本は経済大国として発展途上のアジア諸国に経済支援、技術移転を図ってきた。21世紀のアジア諸国・地域は世界の経済成長センターとして、政治的にも経済的にも大きく力をつけてくることが予想されている。このようなアジアの国々・地域と日本はどのようにつき合えばよいか、これからの大きな課題である。

　日本は太平洋戦争において、アジア諸国の人々に大きな負の遺産を残

した。一方、これまで日本は先進国として、アジアの国々を軽視してきた面もいなめない。21世紀における日本とアジアの国々とのつき合い方は、日本がアジアの人々と同じ目線で物を見、考え、共に栄えることを実践することによって、日本はアジアの人々に受け入れられるのではなかろうか。

　沖縄は①アジア諸国との長い交流の歴史を有し、友好信頼関係が深い、②亜熱帯地域の気候風土、生活習慣、芸能、文化など類似性が高い、③沖縄国際センターの研修生の評価に見られるように、沖縄はアットホーム的である、④沖縄県は日本とアジアの結節点として国際交流拠点を目指し、アジア諸国、地域に県事務所を設置するなど、積極的な地域外交を展開している。

　南北センターの機能は大学院留学生、短期研修、学者、専門家の受け入れなど、国際交流支援センターとして、ハワイ東西センターのような業務内容の位置づけをすることが望ましい。そのためには37年の歴史を有し、4万5千人のアジア太平洋地域の人材を育成し、そのノウハウを蓄積しているハワイ東西センターとのタイアップが必要である。

　南北センターは、国際都市形成構想の中で位置づけられている日米大学院大学、既存の亜熱帯研究所との一体的な運用により、大規模な国際センターとして立地させることができる。また、琉球大学など地元大学との連携も必要である。

　名称は「沖縄国際南北センター」より、「沖縄アジア太平洋センター」がベターかと思う。

（琉球新報　1997年9月15日）

2.　南北センター構想の推進を

　沖縄国際南北センター（仮称）の構想策定、設立に向けた取り組みの一環として、1998 年 3 月 24 日に県主催の国際フォーラム「持続可能な発展を求めて～沖縄からアジアを考える」が開催された。会議には米国南北センター研究顧問のフランシス・マクニール氏、伊藤善市・帝京大学教授らが招かれた。会議で確認されたのは、沖縄がアジア太平洋地域の知的交流拠点として十分な可能性があるということだった。地理的にはもちろん歴史的にもその可能性は証明されている。

　沖縄国際南北センターは、県の国際都市形成構想の中で位置付けられている。実現に向けて、1997 年に外務省、国際交流基金、沖縄県、野村総合研究所の部課長クラスによる作業グループが結成され検討作業がスタートした。構想策定にあたって有識者からのヒアリングも 4 回行われている。

　1997 年 7 月に外務省で行われた第 1 回のヒアリングには、下河辺淳・東京海上研究所理事長、濱下武志・東京大学東洋文化研究所所長らとともに私も講師として招かれた。そのヒアリングで私は今から 34 年前のハワイ東西センターでの留学体験と、同センターが果たしてきた国際的貢献について報告した。

　ハワイ東西センターは、1960 年に米国政府がアジア太平洋地域との連携を強化しようとの長期ビジョンに基づいて創設したものである。高等研究部、技術交換部、学生部の 3 部構成で、その中核は大学院留学生や短期研修生を受け入れる学生部であった。センター創設から今日まで米本国はじめ、沖縄を含むアジア太平洋地域から約 5 万人が学んだ。卒業生は自国に帰ったあと、各界で活躍している。沖縄からの留学生数は、センター創設から日本復帰までの 12 年間に 4 百人にものぼった。

　同センターの卒業生は米本国、オーストラリア、ニュージーランド、アジア太平洋諸国で同窓会を組織し強力な国際ネットワークを構築している。同窓会は毎年各国持ち回りで国際会議を開催し、それぞれの地域

で抱えている問題を持ち寄り情報交換している。ハワイ東西センターを中心とした結束力は強い。

　そのハワイ東西センターのチャールズ・モリソン総長が、ハワイ沖縄連合会のリーダーであるロバート・仲宗根氏、エドワード・久場氏らとともに27日に初来沖する。

　モリソン総長は、沖縄が構想している国際南北センターに興味を持ち、設立へ向け支援したいと表明している。せっかくの機会なので、ハワイ東西センター40年の歴史とノウハウの蓄積を交換するいい機会だと思う。また、これを機に県とハワイ東西センターが密接な連携を続けることを望みたい。沖縄国際南北センターを3次振計後期の大きな課題とし、ポスト3次振計の目玉事業として実現に努めていただくよう県に提言申しあげたい。

（琉球新報　1998年）

ハワイ大学大学院留学のため那覇空港出発
見送りに来た琉大学生部職員と友人
右端、著者、右から4人目、桂幸昭氏（留学生、後に琉球大学長）
1962年7月

第5章　オバマ米国大統領への期待

1．オバマ新大統領に期待

　バラク・オバマ氏が米国第44代大統領に就任した。米国の歴史に大きな1ページを記す黒人初の大統領である。心から敬意を表し、お祝いを申し上げたい。

　私はオバマ氏のリーダーシップに敬服し、親近感を覚えている1人である。それは氏がハワイ出身であること、両親が私と同じ1960年代初頭にハワイ大学で学んでおり、母親と義父がわれわれと最も強力な人的ネットワークを有するハワイ東西センターの奨学生で元同窓会員である。

　昨年11月中旬バリ島で東西センターの国際会議が開催され、氏の大統領就任への話題で盛り上がった。分科会では母親のインドネシアでの貧困層自立支援活動および氏の人格形成に及ぼした影響の大きさなどが熱く論じられた。

　米国民はじめ世界の人々のオバマ大統領に寄せる期待は極めて大きい。まず直近の課題は米国発の世界経済危機の早期解消であり、イラク・アフガン戦争の終結、世界平和の構築であろう。

　われわれ沖縄県民にとっては戦後64年の長きにわたる米軍基地の過重負担の軽減である。アジア経済の発展、中国の軍事力の増強に伴い米軍再編の中でもグアムと沖縄の米軍基地は一層強化される方向にある。オバマ政権でも沖縄の米軍基地の重要性は強調されるであろう。しかしオバマ氏はその伝記が物語るようにマイノリティの痛みが分かる大統領であると確信している。オバマ政権の誕生は沖縄にとってこれまでにない基地問題解決の好機ととらえる。

　沖縄から米国政府への要請はハワイ人脈の活用が効果的であろう。オバマ政権中枢および大統領へ直接沖縄問題を働きかけることのできるハワイ選出国会議員がおられる。民主党重鎮のダニエル・イノウエ上院議

員、民主党で重要な地位にあるニール・アバクロンビー下院議員、2人とも沖縄の基地問題を熟知しておられる。また民主党上院ダニエル・アカカ議員、下院メイジー・ヒロノ議員も問題をよく承知しておられる。協力的なハワイ州議会との連携も重要である。

　普天間はハワイ、グアムへと政策変更を。米国政府への要請活動は確固たる信念と粘り強い交渉力が肝要であり、それを期待したい。

（沖縄タイムス　2009年1月21日）

著者（沖縄ハワイ協会顧問、東西センター沖縄同窓会顧問）のハワイ沖縄連合会
2019レガシーアワード受賞式・祝賀会に出席の東西センター沖縄からの留学生ら
2019年11月2日

2. オバマ大統領母親の活躍

　米国のバラク・オバマ大統領は今月20日に就任1年目を迎えた。この1年の業績評価には厳しいものがある。今後の積極的な政策展開に注目したい。

　私はオバマ大統領に親近感と期待を寄せている一人である。それはオバマ大統領がハワイ出身で、両親が私と同じ1960年代のハワイ大学生で、母親と義父が東西センターの同窓生であったことからだ。

　オバマ氏が大統領に当選した一昨年11月中旬、バリ島で東西センターの国際会議が開催された。会議はオバマ氏の大統領就任への期待と話題で盛り上がった。

　分科会では、オバマ大統領の母親、アン・ダンナム人類学博士のインドネシアでの活躍と業績が熱く語られた。パネリストは母親をよく知るインドネシアのジャーナリスト、米国の学者らで、それぞれにアン氏のインドネシアにおける人権、婦人の権利、草の根レベルの社会発展活動への貢献を高く評価していた。

　母親アン氏は1961年ハワイ大学1年次にアフリカ、ケニアから留学のオバマ氏と結婚、18歳で現オバマ大統領の母親に。3年後に離婚、シングルマザーとして子育ての傍ら学業に専念。大学を卒業し、大学院では人類学を専攻、修士、博士号を取得。東西センター奨学生としてインドネシアから留学中のスエトロ氏と再婚。スエトロ氏の帰国に際し、アン氏は6歳の息子オバマを連れてインドネシアへ。アン氏のインドネシアでの活躍が始まった。

　息子オバマには幼いころから米国著名人のスピーチテープを聴かせていたとのこと。母親アン氏は卵巣がんを患い1995年、52歳の若さで他界している。

　母親の優れた活躍がオバマ大統領の人格形成に大きな影響を与え、米国民を魅了する大統領の誕生に結びついていったとの評価であった。オバマ大統領のご奮闘を祈る。

（琉球新報 2010年1月30日）

3.　オバマ大統領妹の来沖講演に期待

　オバマ大統領の妹でハワイ在住、米国で活躍のマヤ・ストロさんが2010年12月18日に来沖、2日間滞在し2回の講演を行う。

　マヤさんは2008年の民主党デンバー大会でオバマ氏の大統領候補推薦演説の弁士を務めた方である。7月にホノルルで開催の東西センター50周年記念国際会議で全体会議、分科会の司会を務めるなど目覚ましい活躍をしていた。弁舌さわやかで、歯切れのよい語り口調は大変印象的であった。この国際会議には世界各国から800人余、沖縄からも27人が参加した。その会場で私はモリソン東西センター総長からマヤさんを紹介いただいた。沖縄からの参加者全員で会った。モリソン総長はマヤさんが沖縄に深い関心を寄せており沖縄へ派遣したいと述べていた。即座に私はぜひ沖縄訪問を願いたいと当人に依頼した。マヤさんの熱い思いでオバマ大統領の生い立ちや活躍の状況を、沖縄の若い世代に語っていただきたいとの思いを強くした。

　マヤさんはオバマ大統領の異父妹である。母親のアン・ダンナムさんはハワイ大学学生時代にアフリカ・ケニアからの留学生オバマ氏と結婚、生まれた男の子が現オバマ大統領である。その後ケニアから留学のオバマ氏と離婚。母親アンさんは1962年にインドネシアから東西センター奨学生としてハワイ大学に留学していたストロ氏と再婚。ストロ氏と現オバマ大統領の母親の間に生まれた女の子がマヤさんである。ストロ氏は留学を終えインドネシアへの帰国に際し妻のアン、6歳のオバマ、娘のマヤを連れて帰国した。インドネシアでオバマ大統領の母親は人類学者として活躍、貧しい人たちの自立支援に大きく貢献、その社会活動の功績は高く評価されている。

　マヤさんは兄のオバマ氏と幼いころはインドネシアで、少女時代はハワイで過ごし、ハワイのエリート高校を卒業。ニューヨーク大学で修士号、ハワイ大学で国際比較教育学の博士号を取得。2児の母親で、高校、大学の非常勤講師、作家として活躍している。

　モリソン東西センター総長、ロバート・仲宗根氏が同行する。講演や交流を通じて沖縄との絆を大いに深めてほしい。講演は高校生対象に沖縄尚学高等学校で開催。一般対象は 19 日午後 6 時から、ジミー那覇店で沖縄ハワイ協会、東西センター沖縄同窓会共催で開かれる。

（沖縄タイムス　2010 年 12 月 18 日）

オバマ大統領妹のマヤ・ストロさん（左から3人目）に講演謝礼として
沖縄ハワイ協会から紅型贈呈、著者・沖縄ハワイ協会長（左から2人目）、
東西センターで、2011年9月7日

4. オバマ大統領の沖縄訪問を願う

　うるま市の会社員女性が元米海兵隊員の軍属の男によって遺体遺棄された。極めて残酷で痛ましい事件である。またか、と激しい怒りを覚えた。

　この事件の報道に接し、私の脳裏には1995年の、あの忌まわしい米兵による暴行事件がよみがえった。当時私は県政策調整監で、直ちに日米両政府に激しい抗議をした。宜野湾市で開催された県民総決起大会には8万5千人が参加、会場は怒りに満ちていた。

　米軍基地全面撤去要求への県民感情の高まりを恐れた日米両政府は、その鎮静化に躍起になっていた。その結果、日本政府が示した解決策は県が最重要課題としていた米軍普天間飛行場返還の発表、さらに、日米地位協定の一部見直しによる運用改善であった。

　以来20年余、普天間飛行場は固定化し、県外、海外への移設でもなく政府はいまだに辺野古移設に固執している。また、地位協定の運用改善は事件の再発防止に何ら効果を挙げていない。

　今回の事件の最高責任者は基地提供者であり、国民の生命と人権を守る任にある安倍晋三総理大臣と、米軍の最高責任者であるバラク・オバマ大統領である。

　安倍総理もオバマ大統領も、今回の事件の重大さ、沖縄県民の怒りを強く受け止め、犠牲になった遺族と、度重なる米軍による事件に直面している県民に謝罪すべきである。

　私はオバマ大統領に親近感と敬意を表している一人である。それはオバマ大統領がハワイで生まれて間もない1960年代初頭に、ハワイ東西センターの奨学生として、大統領の母親、義父とともにハワイ大学で学んだ同窓生だからである。それだけにオバマ大統領の生い立ち、人格形成などについて深い関心を持ち、大統領の活躍に大きな期待を寄せてきた。

　オバマ大統領は2009年のプラハでの演説、同年のノーベル平和賞受賞演説でも崇高な人類愛の演説をされている。また、その生い立ちから

マイノリティ、人権尊重などの理念は極めて高い。

　オバマ大統領は、沖縄県民が戦後71年間、狭い土地で米軍基地の過重な負担と基地から派生する事件・事故により過酷な犠牲を強いられてきた実態を把握され、基地の縮小と地位協定の改定に取り組んでいただきたい。

　広島訪問でオバマ大統領には核兵器のない世界の平和と安全を追求する決意を高らかに宣言され、ベトナムから米国への帰途、沖縄に立ち寄られることを願うものである。

（沖縄タイムス　2016年5月24日）

オバマ元大統領幼少の頃の家族
左から、ロロ・ストロ（義父）、アン・ダンナム（母親）、マヤ（妹）、バラク・オバマ
（東西センターの資料より）

5. オバマ大統領妹の講演会盛況

　沖縄ハワイ協会では、2010年12月19日にオバマ米国大統領の妹の
マヤ・ストロ氏の講演会をジミー那覇店で開催した。米国大統領の妹の
講演とあって関心は高く沖縄ハワイ協会の会員、一般の方々、160人余
が聴講し、懇親を深めた。

　ストロ氏はハワイ在住で、児童書作家として活躍しており、東西セン
ターでの研究活動にも関わり、沖縄に関心を寄せ、沖縄を訪問したいと
の意向があると聞いていた。私は沖縄ハワイ協会会長に就任して間もな
く、ストロ氏をぜひ沖縄に招きたいと思い、懇意にしていた東西センター
のチャールズ・モリソン総長、東西センター沖縄プログラム担当のロバー
ト・仲宗根氏に依頼し、沖縄訪問を実現していただいた。

　高校教師の経験もあるストロ氏は、沖縄ハワイ協会での講演の翌日の
12月20日には沖縄尚学高校で講演。150人の生徒を対象にグローバル
化が進展する中でのコミュニケーションの重要性について説いていた。

　同20日に、私はストロ氏を南部戦跡へ案内し、ひめゆりの塔を訪ねた。
資料館も見学いただいた。その折、朝日新聞がストロ氏のひめゆりの塔
訪問を取材し、「オバマ氏の妹、沖縄訪問　ひめゆりの塔で生存者と対面」
の見出しで同紙の1面で次のように伝えた。

　「オバマ大統領の妹、マヤ・ストロさん（40）が19日講演のため沖縄
を訪れた。ひめゆり学徒隊の生存者で読谷村の新崎昌子さんが案内して
沖縄戦の悲惨さを伝え、『戦争をするのもやめるのも人間です。世界の
平和のために、ぜひ大統領に伝えてください』とストロさんに語った。」

　新崎さんが1930年代から学生生活が戦時体制に組み込まれていった
経緯を説明した。

　資料館見学後、ストロさんは朝日新聞の取材に「戦争の原因を避けら
れたかもしれないことを教えることで、（日米の）若者が交流し紛争解
決に取り組む能力を高めることが出来ます。」と語っていた。

　それを大統領に伝えたいですかとの質問には「イエス」。彼は平和を

維持、促進する新戦略を考えるために頑張っている。クリスマスを一緒に過ごすことになるので今回の訪問について話せば喜ぶのではないかと笑顔で語った。」

　ストロ氏を沖縄に招いた沖縄ハワイ協会会長の私の脳裏には、将来オバマ大統領に沖縄訪問を願い南部の「平和の礎」祈念碑前広場で平和演説をしてほしいとの大きな夢があった。2000年の沖縄サミットでは、ビル・クリントン大統領が「平和の礎」前で演説をした。

マヤ・ストロ氏講演会
那覇市内、ジミーレストラン
2010年12月19日

第6章　「2014年東西センター国際会議 in 沖縄」盛況

　東西センターの国際会議が 2014 年 9 月 17 日から 19 日までの 3 日間、那覇市内のパシフィックホテル沖縄で国際色豊かに盛大に開催された。

　東西センターの国際会議は米国、アジア太平洋諸国地域の主要都市で東西センター、同国際同窓会、地域同窓会の共催で 2 年に 1 度、開催されている。東西センターは世界に 6 万人余の同窓会員を有し、強力な国際ネットワークを形成し、それぞれ各国・地域において活発な活動を展開し、社会貢献に努めている。

　今回の沖縄での国際会議のテーマは「アジア太平洋地域の平和的・持続的発展」で、この会議に世界 24 か国から 400 人余が参加し、全体会議、分科会において活発な論議が展開された。

　開会式では、東西センターのブリアン・辻村理事長、沖縄県の仲井真弘多知事（代読）が歓迎の挨拶を述べ、引き続き琉球大学の大城肇学長から東西センターのチャールス・モリソン総長に名誉博士号が授与された。

　その後、モリソン総長による基調講演が行われた。

　沖縄同窓会では世界から集う参加者に沖縄文化を広く紹介する講演や会議を設定した。加えて、沖縄文化ワークショップとして、シーサーの麺づくり、沖縄ブクブク茶、沖縄着物着つけ、沖縄の踊りカチャーシー、三線の練習など 5 会場を設け実施し、参加者に大変喜ばれ好評であった。

　さらに、科学技術分野で世界に誇る沖縄科学技術大学大学院（OIST）のジョージ・岩間副学長が同大学の役割と重要性について述べ、同大学のアカデミックなレベルの高さを世界にアピールした。

　また、東西センターの日本版ともいえる「アジア太平洋センター」を沖縄に設置する構想（共同代表・久米昭元、高山朝光）のセッションでは、仲地清大阪大学教授が司会を務め、大田昌秀元沖縄県知事が「平和の礎」建設について、稲嶺恵一元沖縄県知事が「沖縄平和賞」の創設に

ついて、フィリピンのセナン・バカ二元農林大臣がフィリピンにおける貧困解消による平和推進について論じ、多くの参加者に平和構築への関心を高めた。

一方、沖縄同窓会では、2011 年に発行した「虹のかけ橋」〜東西センター 50 年の歩み〜の英語版を出版し、参加者全員に配布した。東西センターのモリソン総長からは、この冊子を米国の国会議員に配りたいとの意向があり 100 冊を増刷して東西センターに寄贈した。この日本語版、英語版の作成については、照屋文雄理事の貢献が大きかった。

本国際会議開催には沖縄県、那覇市からの多額の助成金支援、企業数社からの広告や様々な協力をいただいた。また、県内各大学、特に沖縄県立芸術大学、沖縄県立看護大学の支援協力も大きかった。

沖縄同窓会では本国際会議の準備・運営に会員一丸となって取り組み、特に、小渕沖縄教育研究プログラム奨学生の次世代グループが積極的に大会運営に関わった。歓迎夕食会での山里恵子沖縄同窓会長の歓迎挨拶は素晴らしく、参加者からスピーチへの高い評価を受けた。

国際会議で恒例の表彰式では宮城宏光元沖縄同窓会長が社会貢献への高い評価での功労賞、ロバート・仲宗根元東西センター沖縄担当局長がボランティア特別賞を受賞した。

本国際会議への東西センターの評価基準による各分野、全体評価は極めて高く、参加者からも立派な国際会議だったとの多くの声が寄せられた。

また、沖縄同窓会（会長石島英）では 1963 年 6 月に那覇市内のパシフィックホテル沖縄で東西センター地域会議を開催した。同会議には 12 カ国 321 人が参加し、交流の輪を広げ、国際ネットワークの強化を図った。

この地域会議は今回の国際会議開催の礎となった。

第7章　皇太子ご夫妻の東西センターご訪問

ハワイで皇太子ご夫妻に沖縄ご訪問をお願い

　天皇陛下（昭和天皇）のご名代としてメキシコをご訪問なさった皇太子（現上皇）ご夫妻は、日本への帰途1964年5月15日午後零時10分休養のため特別日航機でハワイに立ち寄られた。ホノルル市に2日間滞在され、その間に東西文化センター、日本領事館などを訪問され、日系人はじめ市民の歓迎に応えられた。

　当時、私（著者）は東西文化センターの奨学生としてハワイ大学大学院に留学中で、皇太子ご夫妻とお会いする機会を得た。その折、将来の沖縄ご訪問をお願いした。

市民の熱狂的な歓迎

　ハワイには約30万人の日系人がいて1世も多い。その人々は日本を離れているだけに祖国への愛国心は人々の心の奥深く残り、特に皇室に対する気持ちは日本の多くの国民と違い、まだ戦前の皇室への忠誠の気持ちが強く残っているようであった。

　それだけに皇太子ご夫妻のハワイ訪問は、熱狂的な歓迎ぶりであり、1世の方々は涙を流して喜ぶありさまだった。

　ご夫妻の今回のハワイ訪問は公式訪問ではなかったが、それでも日ごろから若い青年の教育に深い関心を持っておられるといわれるお2人は、休養の目的はさておき、来布2日目の午前10時にはハワイ大学内にある東西文化センターを訪問された。

　ご夫妻はセンターについての説明を聞かれた後、本館裏に造られた美しい日本庭園に降りられ記念植樹をされた。その後で、美智子妃殿下は池の鯉に餌をやるなど優しい心遣いは詰めかけた数千人の歓迎の人々の拍手を浴びた。

　ご夫妻は日本庭園でしばらく過ごされた後、まだ時間があるので日本からの留学生と話したいとの希望を案内の文化センター職員に告げられ、職員から近くにいた留学生に伝えられた。昨日までは、ご夫妻の厳重な警備通達がアメリカ政府から東西文化センター本部にあったようで、ご夫妻と学生との直接の話し合いは不可能との通知が出されていた。ところが、皇太子ご夫妻のこの突然の申し入れに日本からの留学生は大喜びで、群衆の中をかき分けて続々と集まってきた。幸い、お2人のすぐ側で写真を撮っていた私は他の学生より先にご夫妻に身近にお会いしお話をする機会を得た。まず最初に皇太子殿下の握手の求めに応じ私は自己紹介をした。皇太子殿下はハワイでの学生生活に興味を持たれ、いろいろとご質問をされた。殿下のご質問に答えた後で私は、メキシコご訪問の労をねぎらい、さらに旅のお疲れにもかかわらずわざわざ東西文化センターをご訪問くださったことに対し感謝の意を申し上げた。そのあとで「近い将来機会を得られ、ぜひ沖縄をご訪問くださるように」とお願い申し上げた。これに対し殿下はにっこりとうなずかれる様子だった。

映画『ニライの海』をご鑑賞

　特に沖縄ご訪問のお願いを申し上げた私の内心には次のような理由があった。沖縄には今次大戦によって尊い命を失った十数万人の御霊が眠っている。この人々は、すべて天皇陛下のため国を守るために尊い命をささげた人々である。戦争が終わって、もはや20年にもなろうというのに未だに皇室の一人として直接この人々の御霊に花束のひとつも手向けてないのは実にさびしい。そればかりでなく、沖縄には終戦以来今日まで日本から切り離され、異民族の下で生活している90余万人の同胞がいる。その人々のためにも総理大臣か皇室の方が沖縄を訪問すべきである。このような考えは沖縄の多くの人々が共通に持っているものと私は信じている。もし皇太子ご夫妻に沖縄ご訪問の機会があれば、沖縄の人々に大きな希望と勇気を与えるであろう。次いで、美智子妃殿下の

握手に応じ、自己紹介をし妃殿下のご質問に答えた。妃殿下もハワイで
の留学生活に興味を持たれ色々とお聞きくださった。美智子妃とお話し
していると妃殿下の美しさと庶民的な人柄は人をひきつけずにはいられ
ない魅力を感じた。私は、妃殿下にも同じように「近い将来機会を得ら
れ、ぜひ沖縄をご訪問くださるように」とお願いを申し上げた。これに
対し美智子妃殿下は「日本で沖縄に関する『ニライの海』という映画を
見せていただきました。とても興味深い映画で楽しく見させていただき
ました」と笑みを浮かべながら語られ、沖縄への関心の深さを示された。

ご夫妻とも沖縄に深いご関心

ハワイにいて時々感じることは日本の知識人といわれる人々の中にも
沖縄に関してあまり認識のない人が多く、がっかりしたり怒りさえ覚え
ることがある。皇太子ご夫妻が沖縄への関心を持っておられることを身
近に知り、とても心強く思った。

皇太子ご夫妻は数人の日本人留学生と身近に親しくお会いなさった。
留学生のひとりひとりとお会いする時間がなく、最後に全留学生に対し
て次のように短い挨拶を自ら進んでされた。「きょう皆さんにお目にか
かれてうれしく思います。皆さんは、このように恵まれた環境の中で熱
心に勉強し、生きた現実の国際感覚を身につけ、帰ったらその見聞を役
立ててください」と述べられた。

皇太子殿下が挨拶なさっている間、美智子妃は殿下の挨拶にじっと聴
き入り殿下に寄り添っておられた。お2人の終始仲のよさそうな態度は
集まった歓迎の人々にとても好印象を与えたようだ。

これまで新聞、テレビ、雑誌などのマスコミ機関を通してお2人の写
真を何度か見てきたが、これまでの印象ではやはり昔ながらの日本の皇
族、雲の上のお2人のような印象だった。実際にお会いし、お話してみ
ると実に庶民的で温かみあふれるお2人の人柄にとても親しみを覚え
た。美智子妃は心身のお疲れがあってか以前よりいくらか痩せておられ
るようにも思えた。それでもとても明るく歓迎の人々ひとりひとりに気

を配っておられた。

　願わくばお2人がご健康で新しい日本の象徴としてご活躍されること
を期待するものである。そして近い将来ぜひ沖縄ご訪問の機会をえられ、
安らかに眠る御霊に花を手向け、また、遠く日本本土から未だに切り離
されている同胞、沖縄の人々の歓迎に応えていただきたい。

　（東西文化センターにて）

皇太子ご夫妻の東西センターご訪問
1964年5月16日

　現上皇上皇后両陛下は、1993年、糸満市での全国植樹祭にご出席の
ため天皇皇后両陛下として初めて沖縄をご訪問された。奇しくも私（著
者）は沖縄県知事公室長として両陛下をお迎えする行幸啓の責任者を務
めた。両陛下のご来県に対し厳しい県民感情があったが、行幸啓対応を
無事終えることができた。私は1964年、現上皇上皇后両陛下が、皇太
子ご夫妻時代にハワイご訪問の折、ハワイでお会いし将来の沖縄ご訪問
をお願いした。あれから29年、植樹祭で両陛下をお迎えして感慨深い
ものがあった。

〈追記〉 ハワイと沖縄のゆいまーる（支え合い）

1. ハワイ沖縄県系人の沖縄支援

（1）戦前、沖縄経済支えた移民の送金

　ハワイ沖縄移民は 1900 年の 26 人に始まり、数次の移民で、その数は大きく膨らんだ。ハワイ沖縄移民は、砂糖きび耕地での過酷な労働に耐えながら、小銭を蓄え沖縄の両親、兄弟へ送金した。資料によると初期移民の 1900 年から 10 年間で 592,752 円が沖縄に送金されている。当時の移民総数は 9,653 人である。1938 年までの移民総数は 20,114 人を数え、多額の金が親元へ送金され、それが沖縄経済を大きく支えたことになる。1920 年代の沖縄は、世界経済恐慌の影響で多くの県民が食にうえ、毒性の強いソテツの幹まで料理して食べるソテツ地獄の時代であった。

（2）戦後廃墟の沖縄へ大規模な救援物資

　1945 年、日米の激しい戦闘で、沖縄は廃墟と化した。沖縄戦の惨状に思いを馳せた 2 世兵の比嘉太郎氏は、志願して沖縄戦に参戦し、多くの住民を救出するとともに沖縄戦の惨状を詳細にハワイに報告した。比嘉氏の報告がハワイの新聞で大々的に報道され、沖縄県系移民は総力を挙げて沖縄救援運動を展開した。様々な救援団体が組織され、医薬品、衣料品、学用品、豚 550 頭、ヤギ 600 頭などが沖縄に送り届けられた。これらの支援物資は戦後沖縄の復興に大きく貢献した。

（3）首里城焼失再建への素早い募金活動

　2019 年 10 月 31 日に首里城が焼失し、その衝撃が国内、海外へと走った。ハワイ沖縄連合会では、その悲報を知り再建への強い思いを託し、焼失の翌日には募金活動を開始した。人々の熱い思いは数か月で 1000 万円の募金に達し、2020 年 3 月には同連合会役員が沖縄県の玉城デニー知事に募金を贈呈した。さらに、世界に協力を呼び掛け、数千万円の募金贈呈を予定している。ハワイは 3 世、4 世の時代を迎えているが、1 世から受け継いだゆいまーる精神、沖縄愛に満ちている。

2. 沖縄からのハワイ沖縄県系人支援

(1) ハワイ沖縄県系次世代リーダー育成支援

　1980 年、沖縄県市町村長会は、戦後世話になったハワイ沖縄県系人への恩返しの一環としてハワイ沖縄移民 80 周年を記念しハワイ沖縄県系人 2，3 世の若いリーダー 37 人を沖縄に招待し、沖縄本島の視察、歴史、文化を学ぶ機会を設けた。ハワイの次世代リーダーは、沖縄の知事、市町村長、多くの政財界のリーダーに会い、その人々の真心から語る感謝の気持ち、心の暖かさ、やさしさ、豊かさに触れ、ウチナーンチュとしての誇りを新たにした。その後それぞれがハワイ沖縄連合会の会長、役員となり沖縄コミュニティーの発展、連合会活動の推進に大きく貢献した。

(2) ハワイ沖縄センターの建設支援

　1990 年ハワイ沖縄連合会は、自前のハワイ沖縄センターを建設した。それまでは 1965 年に慈光園に併設して建設した沖縄会館を活用し活動を行ってきた。沖縄センターの建設には多額の費用を要した。ハワイ沖縄連合会では土地代を含め日本円で約 12 億円を募金で集めた。同連合会では沖縄県、市町村、民間団体に 2 億 6000 万円の支援を要請した。沖縄県、市長会、町村会、民間募金団体は約 3 億円余を支援した。「ハワイへ瓦を送る会」では募金で 75,000 枚の赤瓦を購入し瓦職人 7 人をハワイへ派遣、沖縄の美しい赤瓦をハワイ沖縄センターの屋根に乗せた。

(3) ハワイ沖縄プラザ建設支援

　2018 年 9 月 3 日に待望のハワイ沖縄プラザが落成した。このハワイ沖縄プラザは、ハワイ沖縄連合会が、ハワイ沖縄センターの補修費、連合会活動の資金確保のためリースビルとして建設した施設である。プラザ建設に関し、ハワイ沖縄連合会から沖縄県、市長会、町村会および沖縄ハワイ協会に 2 億円の支援要請があった。沖縄県、市長会、町村会が 1 億円、民間団体のハワイ沖縄プラザ建設募金推進本部が県民から募った 1 億円を贈呈した。この募金への県民の思いはハワイ沖縄県系人の戦後沖縄救援への恩返しであった。

ハワイ州、市郡と沖縄県、市町村姉妹都市提携

1. 沖縄県とハワイ州姉妹提携

　沖縄県・ハワイ州姉妹提携30周年の記念式典、祝賀会が2015年7月、ハワイで、同年10月に那覇市で開催された。那覇での開催には、ディビッド・イゲハワイ州知事が初めて沖縄を訪問した。イゲ知事は沖縄県西原町系3世で県民から大歓迎をうけた。

　沖縄県とハワイ州の交流事業は、高校生の相互交流、沖縄・ハワイクリーンエネルギー協力推進事業が実施されている。高校生交流事業は2019年6月に30周年を迎え式典・祝賀会が開催された。本事業への参加者は、沖縄とハワイ双方で1,400人を数えている。

2. 那覇市とホノルル市姉妹都市提携

　那覇市とホノルル市の姉妹都市提携は2020年に60周年を迎えた。この周年を記念して2020年5月には両市で相互交流が計画されていたが、コロナ感染が世界的に拡大し同事業は中止となった。　2015年11月にはホノルル市のカーク・コードウェル市長一行が那覇市を訪問し、那覇市との交流を深めた。

3. 名護市とヒロ市姉妹都市提携

　名護市とヒロ市の姉妹都市締結は1986年、2020年で34年になる。1986年の姉妹都市締結年に名護市は姉妹締結を記念しヒロ市にハーリー舟を寄贈した。

　名護市は海外交流中学生派遣事業として2012年から毎年10余人の中学生をヒロ市に派遣しホームステイなど交流を図っている。

4. 宮古島市とマウイ郡姉妹都市提携

　宮古島市は2015年8月にマウイ郡との姉妹都市締結50周年記念式典、

記念植樹を行った。

　交流事業としては、中高校生のホームステイ交流派遣事業を実施している。

　マウイ郡との交流を深める一環として 2015 年から毎年「カギマナフラ IN 宮古島」を開催している。

5.　石垣市とカウアイ郡姉妹都市提携

　石垣市は 1999 年にカウアイ郡と姉妹都市締結をして 2019 年で 20 周年になった。20 周年事業として石垣市主催で「アイランダーサミット」を石垣市で開催した。カウアイ郡から郡長一行が来島し交流を深めた。

　交流事業としては毎年中学生 3 人をカウアイ島に派遣しホームステイによる交流を推進している。

　カウアイ島との交流の一環として「KINI アロハフェステイバル 2019-石垣島」を実施した。

6.　金武町とホノルル市姉妹都市提携

　2020 年 2 月、金武町とホノルル市の友好姉妹都市協定を締結した。2020 年は沖縄からの移民が金武町から初めてハワイに渡って 120 年になるのを記念して協定を締結した。今後、両自治体は子供たちの交流事業、文化、人材交流を一層推進することとしている。

　金武町は 2000 年の沖縄ハワイ移民 100 周年に約 500 人の中学、高校生を船でハワイへ派遣した。

7.　久米島町とハワイ群姉妹都市提携

　久米島町は 2011 年 9 月にハワイ郡との姉妹都市締結をした。久米島町とハワイ郡コナとは深層水の活用で大きな共通点を有する。海洋エネルギーのワークショップが開催されている。

　2012 年から毎年高校生 3 人を久米島からコナのワエナ高校へ、ワエナ高校から久米島高校へ交換留学制度を実施している。

著者略歴

高山朝光

1935年　本部町伊豆味生まれ、旧羽地村田井等出身
1954年　名護高等学校卒
1958年　琉球大学文理学部社会経済学科卒
1962年　ハワイ大学大学院留学
1989年　NHK沖縄放送局副局長
1992年　沖縄県知事公室長
1994年　沖縄県政策調整監
1996年　沖縄県信用保証協会会長
1997年　那覇市助役
2000年　東西センター40周年でDistinguished Alumni Award（功労賞）受賞
2018年　第54回琉球新報賞受賞
2019年　ハワイ沖縄連合会2019 Legacy Award（功労賞）受賞
2020年　沖縄ハワイ協会顧問、東西センター沖縄同窓会顧問

世界ウチナーンチュセンター設置を切望

　世界ウチナーンチュセンター設置支援委員会では2020年に沖縄県知事、沖縄県議会議長に「世界ウチナーンチュセンター」の設置を強力に要請した。その意義は世界のウチナーンチュ大会で蓄積してきた世界のウチナーンチュネットをさらに構築・活用し、各国、地域との情報交換、人材交流、経済・文化交流を積極的に推進することにある。そのために、世界各国、地域の沖縄県人会と沖縄をネットする本部（むーとぅやー）「世界ウチナーンチュセンター」の設置が極めて重要で、その実現を強く切望する。

　世界ウチナーンチュセンター設置支援委員会共同代表　高山朝光

編集後記

　本書をまとめていると、ハワイ、米本国でお会いし、お世話になった沖縄系移民の多くの先輩方の笑顔が脳裏に浮かんできた。かなり多くの方々が他界された。この人々の在りし日の異国での移民体験談を多くの人々に伝えたいのが、私の思いである。また、私自身の体験、思いも織り込んだ。

　本書の内容を、第1編「ハワイ沖縄移民の足跡と飛躍」、第2編を「東西センターの異文化交流・人材育成」、第3編を第1編、第2編の英訳バージョンとして出版することを企画した。ところが整理していると58年余の長い年月で記述した内容が、大きく膨らんだ。1編と2編だけで250ページを超したので、英訳は別冊として出版することにした。特に英語版を考えたのは、ハワイを中心に海外のウチナーンチュ、さらに東西センターの国際同窓会員に読んでいただきたいと思ったからである。

　ハワイでの1963年以来の良き先輩であり、友人である東西センター沖縄同窓会理事の照屋文雄氏には率先して英訳を担当いただき、大変お世話になった。

　全体の内容については、随分と以前に書いた項目も多く、それぞれその時点での現在形の文章で表現した。また、1963年のハワイ沖縄移民リーダーインタビューでは、当時のそれぞれの活躍に触れ、それ以降の活躍についてはほとんど追記をしていない。

　校正については、ハワイ事情に詳しく、懇意にしている世界ウチナーンチュセンター設置支援委員会共同代表の三木健氏、琉球新報編集局社会部長の島袋貞治氏、東西センター同窓で埼玉大学の渋谷百代教授、さらに最近、定年後にハワイ沖縄移民研究に専念し修士号を取得された樋口淳一氏に協力いただいた。沖縄県立図書館の原裕昭主査、沖縄ハワイ協会の松田昌次事務局長にも協力いただき皆さんにお礼を申し上げる。

　出版に際しご協力の株式会社 東洋企画印刷に感謝の意を表する。

著者・高山朝光

ハワイと沖縄の架け橋
～織りなす人々の熱い思い～

2020 年 10 月 30 日　発行

発 行 者／高山　朝光

制作印刷／株式会社 東洋企画印刷

製　　本／沖縄製本株式会社

発 売 元／編集工房 東洋企画

　　　　〒901-0305　沖縄県糸満市西崎4-21-5

　　　　TEL.098-995-4444　FAX.098-995-4448

 この印刷物は個人情報保護マネジメントシステム
（プライバシーマーク）を認証された事業者が印刷しています。